JN101095

心田を耕す

北尾吉孝
SBIホールディングス
代表取締役会長兼社長

財界研究所

心田を耕す

北尾吉孝

はじめに

本書のタイトルを色々と考えた末、『心田を耕す』としました。その理由の一つは、本書を構成する多くのブログの主張は畢竟、心田を耕すということに帰着すると思ったからです。もう一つの理由は二宮尊徳（金次郎）について、もっと多くの人に知ってもらいたいと思ったからです。

この「心田を耕す」は、お釈迦様の言葉に端を発しているようです。お釈迦様が托鉢をしているときに、お百姓さんから「私は田畑を耕し、種を蒔いて食を得ている。あなたも人に施しを乞うのではなく、自分で田畑を耕し、種を蒔いて食を得たらどうですか」と言われ、「我は忍辱という牛と、精進という鋤をもって、一切の人々の、心の田畑を耕し、真実の幸福になる種を蒔いている」と答えられたと伝えられています。

私は、この言葉は長年、二宮尊徳翁のものだと思っていました。彼の言で「私の本願は、人々の心の田の荒廃を開拓していくことである。天から授けられた善の種である仁義礼智を栽培し、善の種を収穫して、各地に蒔き返して、日本全体にその善の種を蒔き広めることである」というものがあったからです。

右記は、当に尊徳翁の報徳思想の根幹を為すものだと私は考えています。尊徳翁の思想は神道・儒教・仏教のエッセンスを取り出し、翁の体験的・実践的知恵と結合・折衷させて生み出したものです。尊徳翁は、この思想の四つの実践倫理（至誠、勤労、分度、推譲）を貫き、武家や藩家の財政を立て直したり、村の農業を復興させ、最終的には約六百の村おこしを行ったと言われています。これら四つの実践倫理の内、「分度」とは分に従って度を立てることで、自分の置かれた状況や立場を弁え、それぞれに相応しい生活をすること。また、収入に応じた一定の基準（分度）を決めて、その範囲内で生活をすること。「推譲」とは将来に向けて、生活の中で余ったお金を家族や子孫のために貯めておくこと（自譲）。また他人や社会のために譲ること（他譲）を言います。

私がＳＢＩグループの地銀プロジェクトを立ち上げる時に、尊徳翁の関連書籍を何冊か読み、彼の報徳思想を地方創生という観点で勉強仕直しました。その過程で「推譲」の考え方、とりわけ「五常講」の仕組みは素晴らしいと思いました。「五常」は中国古典の仁・義・礼・智・信です。報徳思想の「五常」の内、「仁」とはお金のある人が無い人に低利・無担保で貸す愛。「義」とは、借りた人は期日までに約束を守り、きっちり返すこと。「礼」とは、困った時にお金を貸してくれた人への感謝の気持ち。「智」とは、借りた人は、どうやって返済するかを考え抜き、一所懸命に働くこと。「信」とは、金銭の貸し借りを行う土台としての人と人との関係、を言います。

尊徳翁は、村の復興や藩の財政再建の為、田を耕し、お金の貸し借りを五常の精神で行うことで、村民たちの心を耕していったのです。これを尊徳翁は「心田開発」と呼んだのです。

私は、報徳思想はバングラデシュの経営学者であり、ノーベル平和賞を受賞したグラミン銀行の創設者であるムハマド・ユヌス氏のマイクロファイナンスやソーシャルビジネスの事業に相通じるものだと思いました。

私が長々と前記した尊徳翁やユヌス氏の話の共通点は、「推譲」という善智・善行の普及と言えると思います。この考え方を尊徳翁の場合は、彼が研鑽していた中国古典から知行合一的に学んだ「五常」の徳目が「五常講」に結実したと推察されます。

これら五つの徳をバランスよく身につけ実践していくことが、君子たる人物になるために必要不可欠であると『論語』では説かれています。

「仁」とは思いやりの気持ち、「義」とは人が行動していくうえで通さなくてはならない物事の筋道のこと。「礼」とは集団で生活を行うために、お互いに守るべき秩序のこと。「智」とは、よりよい生活をするために出すべき智慧。そして「信」とは我々の社会を成り立たせている基盤や、そこで生活している人に対しての絶対的信頼です。

こうした五常をバランス良く、知行合一的に身に付けるという行為を、田を耕している農民達を啓蒙する場合「心田を耕す」という言葉が一番分かりやすく、受け入れやすいと尊徳翁は思ったのではないでしょうか。

尊徳翁の偉大さは、自ら学んだことを実践し、より良き社会の実現のためビッグピクチャーを具体的に描き、大変な成果を齎した点にあります。また尊徳翁は、経世済民を目指した報徳思想を広く受け入れられるものとし、その啓蒙活動を通じ大きな社会変革を齎したことも、我々は忘れてはならないと思います。私の小学校時代には、多くの学校に二宮金次郎の銅像がありましたが、そうした像が次第になくなり、小学校でも二宮金次郎について教えることもなくなっているようで残念至極です。
本書のタイトルを「心田を耕す」とすることで二宮尊徳翁の足跡や思想を尋ねる人が増えることを切望し、本書の「はじめに」といたします。

2023年4月吉日

北尾吉孝

本書は、2022年2月から2023年2月までのブログ及びフェイスブック記事で再構成しており、基本的に原文通り掲載しております。

心田を耕す　目次

第2章 人生をいかに生きるか、その道標

第3章 大局観と覚悟を持って歩む

第1章

本質を見る目を養う

我は我、人は人

2022年3月4日

万物は平衡が保たれる

私は10年以上も前に、「今日の森信三（121）」として次のようなツイートをしたことがあります。

――人間の幸・不幸というものは、大体分量が決まっていて、若い間にどちらか多く味わうと、晩年はその残された後の半分を味わわねばならぬというわけです。理屈に合わぬようにも思われますが、昔から心ある人々が言い伝えてきた事だけに、そこには深い真理があるように思われます。

右記の森先生が持たれている基本観は、「万物平衡の理」という宇宙を貫く真理からきているのです。つまり神は全てに対し公平で、長い目で見たら良いこと尽くめ、悪いこと尽くめで終わることは決してなく、その意味で万物は平衡が保たれるよう出来ているということです。また、「この世に両方良いことはない」という陰陽循環の理とも言って良いかと思います。換言すれば「満つれば欠くる世の習い」ということです。

これは「天の摂理」とでも言うべきもので、東洋の基本的な思想です。一方が出れば、その反作用でバランスして行く此の調和こそ、宇宙における最も霊妙な理かもしれません。要するに、世の全ては最終的に辻褄が合うよう出来ているということで、実際そういう側面を私自身も否定するものではありません。しかし何を幸せと感じるかは、言うまでもなく主体的なもので、人夫々（それぞれ）に違っています。

そういう意味で、幸せを得るためには先ず、相対観からの解脱（げだつ）が必要だと思います。あらゆる苦は相対観から出発する、と森先生も言われるように、「AよりBがどう」「BよりCがどう」などと、実に下らない相対観の小さな世界で物事を判断し一喜一憂して、自分自身に腹を立てたり、様々な嫌な思いをするような愚かな人が沢山います。

「あの人は賢い／私は愚か」「あの人は美しい／私はブス」「あの人は金持ち／私は貧乏」「あの人は幸せ／私は不幸」とか、「あの人は何時も上司に可愛がられて食事に連れて行って貰うのに、どうして私は一度も連れて行って貰えないのか」といった具合に、直ぐに人と比べる人が多いのも確かな気がします。

こういう人は、相対観で物事を判断し相対比較の中でしか自分の幸せを感じ得ないわけですが、元来人と比べることは無意味でしょう。例えば「賢愚一如（けんぐいちにょ）」という言葉がありますが、人間を創りたもうた絶対神から見れば、人間の知恵の差など所詮微々たるものであり、人間の差などというものは意味がないのです。

詰まらぬ相対観ほど己を不幸にするものはありません。相対観の中で生きている人の心には、一生安らぎは訪れないでしょう。江戸時代の陽明学者・熊沢蕃山が「我は我、人は人にてよく候」と言っておりますが、幸せとは「我は我、人は人」という生活態度から出てくるのではないでしょうか。自分を楽にし、自分の品性の向上に繋げるべく、我々は学問修養等により相対観からの解脱を図るのです。

真の道の人

2022年3月17日

内省し続けるバランスが大事

私が私淑する明治の知の巨人・安岡正篤先生は、「反省は統一に復ろうとする作用である。哲人ほど内省的であり、統一に復るほど幽玄である。真の道の人とは、根源的なものと枝葉的なものとを統一的に持っている人のことである」、と言われていたようです。

拙著『実践版　安岡正篤』（プレジデント社）の「はじめに」にも書いた通り、安岡先生が戦前戦後を通じ一貫し説き続けられたのは、自らに反り本来の自己を自覚（自反尽己）し、天から与えられた使命を知り（知命）、自己の運命を主体的に自ら切り拓く（立命）、ということの人生における重大性と必要性でした。

冒頭の引用は難しい表現をしていますが、要するに真の道の人とは自反尽己し続ける人、というのが基本だと思います。その上で、「枝葉的なものとは一体何か」また「内省だけで良いのか」、ということです。安岡先生が言わんとしているのは、例えば世の様々な社会現象を枝葉末節と切り捨てるのではなくて、そこに常時目を向けながら統一的・統合的に内省し続けるバランスが大事だということでしょう。

陰陽思想では、事の一切は「陰」と「陽」とが相待することですが、それを草木で例えれば、根の部分が陰で枝葉花実が陽となります。陰・陽は何時も上手くバランスを取って創造・発展して行く必要がある、というのが東洋思想の基本的な考え方です。即ち、陽の部分はどんどんと分化・発展し活発化・末梢化して行く性質を有し、他方、陰の部分はそうやって分かれるものを時に統一したり時に調和させたりするように働いているわけです。

根源的なものを内向きとしたら、枝葉的なものは外向きとなります。世の中は常に変化し、変化と共に新たな思索が次々生まれ、人類社会は継続進化して行っています。勿論、時代が変われども本質的に変わらぬ部分も沢山ありますが、学び薄くして唯我独尊の世界に入ったならば、大変な間違いを犯しかねません。

『論語』に、「学んで思わざれば則ち罔し。思うて学ばざれば則ち殆し」（為政第二の十五）とか、「吾嘗て終日食らわず、終夜寝ねず、以て思う。益なし。学ぶに如かざるなり」（衛霊公第十五の三十二）、とあります。これら孔子の言は、学ぶことは必要不可欠であり、併せて思索をすることも大事だと教えています。

そして此の思索の中に自反という要素、つまり自らを省みることがなくてはなりません。様々な社会現象や色々な人、あるいは世の中の状況にも常に目を配りながら、仮にそうした周りの環境が悪ければ自分は如何に在るべきかと考え内省して行く人が、「根源的なものと枝葉的なものとを統一的に持っている」真の道の人ということではないかと思います。

人物に学ぶ

2022年4月6日

より良き自己を創る

株式会社財界研究所より『人物に学ぶ』という本を上梓しました。本書は「北尾吉孝日記」を再構成したもので、2008年9月出版の第1巻『時局を洞察する』から数えて14巻目に当たります。

この日記自体は、2007年4月12日よりツイッター的な形で執筆し始めており、本年15年目を迎えるわけですが、内容も様々な分野に拡大しています。

今回は、本書のタイトルを『人物に学ぶ』としました。私はブログで何かコメントする場合など、『論語』を中心とする中国古典や安岡正篤、森信三両先生といった明治生まれの知の巨人の書を度々引用したり、紹介したりしています。

　これは単に、それらが歴史の篩（ふるい）にかかっているとか、人口に膾炙（かいしゃ）した優れた書の内容だからということではありません。最大の理由は、そうした書の著者が偉大なる人物だからです。

　私は人物を錬磨するためには、私淑する人物を持ち、自分もそういう人物に近づこうと修行することが最良だと考えています。一番良いのは同時代の優れた人物に親しく接して、じかに感化を受ける事ですが、それが叶わぬ場合は、古今東西の書を通じて多様な優れた人物に親炙（しんしゃ）すれば良いのです。書もそうした優れた人物の魂を伝え、面目躍如を果たさせているようなものでなければなりません。

　文献という言葉がありますが、「文」は書籍、「献」は賢人を本来意味します。ですから、佳書を読み、優れた書だと思えば、その著者の書を何冊か読み、その人物像を虚心坦懐に捉え、尊敬出来る優れた人物だと確信すればその著者から学ぶのです。こうして学び続けることが、より良き自己を創ることになると確信しています。

2022年4月28日

『論語』に学ぶ

自分の可能性を試す

「相手に届かない言葉は無意味　『論語』を経営の指針に　ユーグレナ社長　出雲充氏(7)」(2022年3月10日)と題されたNIKKEI STYLEの記事は、冒頭次の言葉で始められます。

――私が「論語」を勉強し始めたのは10年ほど前、事業の相談でSBIホールディングス社長の北尾吉孝さんにお目にかかったのがきっかけでした。起業して数年がたっていましたが、経営者としての未熟さを日々感じ、「もっと人間として成長したい」「重要な判断をする際に軸となるものが欲しい」と思っていたので、率直に「北尾さんは日々お忙しい中、何をどうやって学んでいるのですか」とお聞きしました。そこで「論語」を薦められたのです。

その後様々な形で『論語』を学ばれた出雲さんですが「今、一番深く心に刻んでいるのは『子曰く、辞は達するのみ』という一節」とのことです。私の場合、事業経営を進めるのに或いは自分の生き方としても、ふっと思い付いたり基本に据えながら考えたりしている章句が『論語』には沢山あります。それらは今から10年前の5月と8月に上梓した2冊の論語本、『ビジネスに活かす「論語」』（致知出版社）及び『仕事の迷いにはすべて「論語」が答えてくれる』（朝日新聞出版）、で詳述した通りです。此の両著でも御紹介した孔子の言、「力足らざる者は中道にして廃す。今女は画れり」（雍也第六の十二）とは、私が非常に大事にしている言葉の一つです。

右記は孔子が弟子の冉求に対し、「力が足りない者は、中途半端で止めてしまうものだ。今のお前は初めから見切りをつけているではないか」と叱咤激励する場面で出てきます。孔子は「そんなことでどうするのだ、もっと自分の可能性を試してみなさい」と言いたかったのだと思います。私は、自分の能力を自分で限定し自己規定してしまうとか、途中で諦め、出来ないと思い込んでしまうといった形で限ってしまわないようにしています。天から与えられた能力を本当に全て開拓し尽しているのか、と思うからです。出来得る限りの努力をした上で駄目なら駄目と言えるかもしれませんが、十分な努力もせず諦めてネガティブに考えないことが大切だと思います。

『論語』に孔子が弟子の子貢（しこう）に対し、「我を知ること莫（な）きかな…なかなか自分のことをわかってくれる人がいないなぁ」（憲問第十四の三十七）と珍しく嘆いている場面があります。しかし孔子は直ぐに、「天を怨みず、人を尤（とが）めず、下学（かがく）して上達す。我を知る者は其れ天か」（同）と言っています。つまりは、「天を怨んだり人を咎めたりしても仕方がないな。自分は身近なところから修養に努めて高遠なことに通じていくのみだ。天はきっと、そんな自分のことをわかってくれるだろう」と言っているのです。私は、自分の思うように行かず苦しい時にも愚痴をこぼさず、自分の能力・修養の不足を嘆いて「画（かぎ）れり」を排し発奮し、自分の可能性を試すべく努力を積み重ねて行く姿勢こそが、最も大切だと思っています。

20篇約500章の章句から成り立つ『論語』には、何時の時代にも通用する普遍性を有した大切な考え方が、簡潔で本質的な言葉に凝縮して表現されており、人生・仕事・国家・社会の在り方等々あらゆる問題に思い巡らせる時、そのヒントとなる言葉が書かれています。自分の経験が増すに連れ、書を読む深さというものは変化していくわけですから、我々は正に自分の状況に照らしつつ、主体性を持って『論語』に挑戦し、何度も繰り返し読む中で、時々に新しい発見をし一番ぴたっとくる言葉を噛み締めて、それを日常生活の中で活かして行くということが大事なのだと思います。

自分を励まし、行動を促すような片言隻句（へんげんせっく）をどれだけ持っているかにより、その人の人生は大きく変わって行くことでしょう。『論語』は私のバックボーンとしてずっとあります。同時に齢70歳を過ぎては『論語』のみならず、また『老子』を読み始めています。年を取り円熟すると、『老子』が好きになるという人も結構いますが、今私が読んでいるのも此の年になってその思想の一端が理解出来るようになったからかもしれません。「功成り名遂げて身退くは天の道なり」とは、実にその最たるものです。そういう意味では『老子』或いは『易経』の世界というのも、ある年齢を超えたら益々「あぁ、なるほど～」となってくるのかもしれませんね。

批判に応じる

2022年7月29日

自分自身の良心に問うて

「素晴らしいリーダーは批判にどう対処する？　覚えておくべき1文」（2021年3月11日）と題された記事がフォーブスジャパンにありました。その中で「リーダーは誰しも、キャリアのどこかの時点で（あるいは何度も）間違っていると言われることがある。相手の指摘が合っていることもあれば、そうではない場合もある。しかし、批判の正確性は別にして、その対処法を理解しなければならない」と書かれた箇所があります。これは、リーダーに限った話ではありません。私見を申し上げれば批判への応じ方としては大きく、①素直に認める、②相手にしない、③徹底して戦う、の三通りがあります。どう応じるかはその人の生き方・信念の問題だと思います。

例えば何時も正しいとは限らない世論というものに応じるのは、概して難しいところだと思います。自己批判して自省する程度であれば良いですが、時として捏造された世論自体を反省材料としてまともに受け止めてしまい、それで気を病み精神的に障害を受けるような人も少なからずおられます。

戦国武将の島津義弘が残したとされる所謂「薩摩の教え」によれば、「一、何かに挑戦し、成功した者」「二、何かに挑戦し、失敗した者」「三、自ら挑戦しなかったが、挑戦した人の手助けをした者」「四、何もしなかった者」「五、何もせず批判だけしている者」を人間としての価値の順序とするようです。最低最悪なのが「何もせず批判だけしている者」ということで、一人前のことを言う割りに何もしない人は意外に多くいるように感じます。

要するにこれは「胆識を有していない人」、つまり「勇気ある実行力を伴った見識を持っていない人」を指しています。こういう人は、何等か見識あり気に見えながら批判に終始し何ら挑戦することもなく、だから当然失敗することもありません。

対照的に何時もどんどんと挑戦し続け、如何なる事態に直面しようとも主体性を持ち、自分の考える筋を通し義を貫くという姿勢を崩さないよう実践している人間は、常に世の毀誉褒貶と隣り合わせです。時として褒められ、又時としてけちょんけちょんに貶される中で、人間というのは強くもなって行くわけですが、私自身これまで唯々自分の良心に顧みて「俯仰天地に愧じず」(『孟子』)の精神の基、一々の毀誉褒貶を顧みないよう努めてきました。私が批判に応じる場合は常々人に対してではなく、天がどう見るかということが問題なのです。

もちろん人夫々の生き方・信念で、人の言う良し悪しに応じるものの、そもそも人の言を気にする必要性は果たしてどれ程あると言えるのでしょうか。此の世に生を受けた以上、我々は自らに天から与えられた使命を明らかにし、その使命を果たすため命を使わねばならず、人がぐちゃぐちゃ言うことなど気にしていても仕方がありません。「命を知らざれば以て君子たること無きなり」(『論語』堯曰第二十の五)と孔子が言うように、天が自分に与えた使命の何たるかを知らねば君子たり得ず、それを知るべく自分自身を究尽し、己の使命を知って自分の天賦の才を開発し、自らの運命を切り開くのです。

以上、私は世の毀誉褒貶など一々気にせずに、自分が自分の良心に従って正しいと思う事柄・世のため人のためになると確信する事柄を全身全霊で徹底的に遣り上げることが、大事だと思っています。正に「自ら反みて縮くんば、千万人と雖も吾往かん」（『孟子』）という世界で、人を超越し天と対峙して自分の使命として堂々と為して行くのです。

世に毀誉褒貶が常に付き纏う中にあって、駄目だったならばその責任を自ら取れば良いだけでしょう。勇気を持って何かに挑戦して初めて、何のために生まれてきたかが段々と分かってきます。「何もせず批判だけしている者」ではいけません。自分自身の良心に問うて自分が信じた道を唯ひたすらに突き進んで行くのです。

片言隻句というもの

2022年8月12日

自身の習慣のように身に付けていく

小説家の井上靖（1907年―1991年）さんの言葉に、「努力する人は希望を語り、怠ける人は不満を語る」というのがあります。ある中学校の「学校だより」（2021年10月28日）には此の言に関し、次のように書かれています。

――同じ出来ないことでも、「希望を語る」ことと「不満を語る」ことは異質なことであり、一方は未来を語るのに対し、一方は今に対しての不満を語っており、両者の意識の使い方がまるで違うと思います。（中略）言霊と言う言葉があります。言葉に宿る霊の意味です。古代の日本人は言葉に宿る霊力が、言語表現の内容を現実に実現することがあると信じていたそうです。（中略）現代に生きる我々も言葉を大切に遣い、希望をもっていきたいものです。

先達・先哲の片言隻句（へんげんせっく）（ほんのちょっとした短い言葉）には、大きな力が宿っているということでしょう。片言隻句は時として、個人の行動や考え方あるいは思想といったものに多大な影響を及ぼします。そういう意味で片言隻句には魂が込められており、その魂は様々な人に色々な形で響いて行くのだろうと思います。

私は、幼少期から中国古典の片言隻句に触れてきました。自分から進んで漢籍を手にしたわけではありません。父が折に触れ中国古典の片言隻句を引きながら、古典の世界へと導いてくれたのです。今にして思えば、先ず簡潔にして端的な片言隻句によって中国古典に触れたのが良かったと思います。

私が私淑する明治の知の巨人・安岡正篤先生は、『照心語録』の中で次のように述べておられます。

——われわれの生きた悟り、心に閃めく本当の智慧、或いは力強い実践力、行動力というようなものは、決してだらだらと概念や論理で説明された長ったらしい文章などによって得られるものではない。体験と精神のこめられておる極めて要約された片言隻句によって悟るのであり、又それを把握することによって行動するのであります——

先生の言葉は全くその通りで、そうした片言隻句を頻繁に念仏のように唱えることで自身の習慣のように身に付けて行くことが大事だと思います。日頃から何事も言は行に結び付けねば無意味であり、日々の生活の中で知行合一的に事上磨錬して行くのです。

冒頭の「努力する人は希望を語り、怠ける人は不満を語る」という寸言も人に響きます。その真理は一つに、自分自身を律する上での大きな力になっているわけです。そういう意味では、これも言霊ではないでしょうか。「長ったらしい文章」が心の中に残り、時として自分の行動規範になる等、自分を律する上で役立つといったことは殆どありません。

『酔古堂剣掃』（中国明代末の読書人・陸紹珩が生涯愛読してきた古典の中から会心の名言を収録した読書録）に、「神人の言は微。聖人の言は簡。賢人の言は明。愚人の言は多。小人の言は妄」という言葉が採録されています。森先生が述べておられる「体験と精神のこめられておる極めて要約された片言隻句」は、正に此の微・箇であります。

至誠天に通ず

2022年8月19日

民族・文化を超えた真理

渋沢栄一翁曰く、「私が考えている交際の要点は、事にあたっては切実に考えること、人に対しては少しでも誠意を欠いてはならないということである。精神を集中して、相手の貴賤上下を区別せず、どんな人とでも真実に交わり、一言一句、一挙一動すべて自分の心の底から出てくるものでなくてはならない」、とのことです。そしてそれに続けて、次のように言われています。

――世の中で「至誠」ほど根底の力となるものはない。(中略)司馬温公が語っている。「妄語せざるより始まる」。誰であれ、人に接するにあたり嘘をつかず、すべて至誠を尽くせば失敗はない。

『論語』に、「子張、行われんことを問う。子曰く、言忠信、行篤敬なれば、蛮貊の邦と雖も行われん。言忠信ならず、行篤敬ならざれば、州里と雖も行われんや」（衛霊公第十五の六）とあります。これは、子張から「物事がとどこおらず、自分の思い通りに行うにはどうしたらいいでしょうか」と問われた孔子が、次のように答える場面です。

――言葉に真心があって違えることなく、行動は懇ろで慎み深かったら、南蛮・北狄といった遠い野蛮な国でも、お前の主張は行われるであろう。その反対に、言葉に真心なく、言と行を違えたり、行動がいい加減であったら、たとえ勝手知った郷里でさえも思い通りに事を進めることなんてできっこないよ。

人間の本質は変わりません。「至誠天に通ず」（『孟子』）・「誠は天の道なり。之を誠にするは、人の道なり」（『中庸』）とあるように「言忠信、行篤敬」でありさえすれば、人を動かすことが出来るのです。これは、民族・文化を超えた真理なのだと孔子は自らの体験を通し、その正しさを信じ自信を持って言ったのだと思います。

江戸時代など昔の日本を訪れた外国人達は、日本人の礼儀正しさや謙虚さ、立ち居振る舞いに驚きました。日本ほどの文明国は無い、と本国に報告した人もいます。人間の本質というのは、そういった礼儀作法や立ち居振る舞い、言葉遣い等に表れるものです。嘗ての日本人は人間学を勉強していたが故、武士のみならず農民・漁師であっても、礼がきちっと出来ていたわけです。

要するに、「人と恭々しくして礼あらば、四海の内は皆兄弟たり」（『論語』顔淵第十二の五）、人と接するときは謙虚で礼儀正しく、真心を尽くしていると、世界中の人が皆兄弟になるのです。『大学』に、「修身、斉家、治国、平天下…身修まりて後、家斉う。家斉いて後、国治まる。国治まりて後、天下平らかなり」、とあります。人間力を高めるとは、此の天下泰平を齎す根元「身を修める」ことに繋がっています。大事なのは人間力がどうなのか、最終その一点に尽きるのです。

中庸というもの

2022年9月16日

人間力を高めるために

『論語』に、「中庸の徳たるや、其れ至れるかな…中庸は道徳の規範として、最高至上である」（雍也第六の二十九）という孔子の言葉があります。此の中庸という抽象的概念は『論語』の中でも大変重要なキーワードで、煎じ詰めれば『論語』の最も中心となるテーマとも考えられるものです。

中庸とは、平たく言えばバランスのことを指しています。中庸の徳から外れたならば、何事も最終的には様々な問題が生じてくることになります。「酒極まれば則ち乱れ、楽しみ極まれば則ち悲しむ」（『史記』）――「過ぎたるは猶(なお)及ばざるがごとし」（『論語』先進第十一の十六）と孔子が言うように、なにかにつけ度を越してしまうことは良くありません。
『論語』には、中庸の大切さに触れた章句が幾つもあります。例えば「質、文に勝てば則ち野。文、質に勝てば則ち史。文質彬彬として然る後に君子なり」（雍也第六の十八）もその一つです。孔子曰く、「質朴さが技巧に勝れば粗野になる。技巧が質朴さに勝れば融通の利かない小役人然となってしまう。修養で身につけた外面的美しさと内面の質朴さがほどよく調和しバランスがとれていて、はじめて君子といえる」とのことです。

これに関し安岡正篤先生曰く、「人間は常に質が文よりも勝っていることが望ましい」ということですが、私は必ずしもそうではないと捉えています。表面的に見える姿としては孔子の如く、やはり文質がバランスされていることが大事だと思います。

安岡先生はまた右記に続けられて、「その人に奥深いものがどっしりとあって、そこに若干の表現があればよい」と言われています。文質のバランスが取れているとは、先ずその内実がどっしりとあることが大前提です。飾り立てているだけでは、バランスされないのです。「質が文よりも勝っていること」は、表面に出てこなくても構いません。秘めたるものが内にきちっとあれば、それで良いと私は考えており、飽く迄も表面的には文質彬彬が良いと思います。

先述のように、バランスを取ることが非常に大事である、とは『論語』に一貫して流れる孔子の教えです。中庸とは、西洋哲学の「正反合（せいはんごう）…ヘーゲルの弁証法における概念の発展の三段階。定立・反定立・総合」の合に当たるものだと思います。より高次元での合に達すべく、此の正反合を進める中で一つの妥協点を見出して行くものですから、単に物事の平均値や中間点の類として捉えるものではありません。

孔子を始祖とする儒学では、人間力を高めるために「五常（ごじょう）…仁・義・礼・智・信」をバランス良く磨くべしとして、「修己治人（しゅうこちじん）…己を修めて人を治む」を実現すべく、当該五点夫々（それぞれ）にレベルが高いことを以て徳が高い人物だとされています。君子を目指すには、此の人間力の源泉とも言い得る五常を身に付けて行きながら、中庸を保つことが極めて大事だと思います。これは「言うは易く行うは難し」の至難の業でしょうが、頑張るしかないですね。

徳慧を養う

２０２２年９月30日

人生経験を積み重ねる中で

嘗て私は『直観力を高める』（２０１２年11月26日）と題した投稿の中で、次のように述べました。

――超意識（潜在意識を更に超える深層部分）とは仏教的に言うと阿頼耶識というものですが、そこから顕在意識下に情報を持ってこようとする場合、潜在意識の中にある様々な障害物、例えば過去の恐怖や嫌な思い出のようなものに妨害されてしまいます。従って、此の色々な障害物を上手に潜り抜けるべく如何にして超意識の世界に繋がるルートを付けるのかが問題となるわけですが、そういう中では精神的練磨や学問的練磨あるいは経験的練磨といったものが求められ、そしてそれらが全て合わさって一つの道が出来てくるということなのだろうと思います。

仏教では、弟子から「どうやってあなたは悟りをひらきましたか」と聞かれたお釈迦様が、「自分は六波羅密を実践した」と答えています。此の悟りとは、正に直観力のことです。では六波羅蜜が何かと言えば、それは布施（人に施すこと）、持戒（規律を守ること）、忍辱（耐え忍ぶこと）、禅定（空の世界に入ること。左脳だけでなく右脳も全開させ、脳を最大限活性化させることとも言える）、精進（何事も誠実に一生懸命努力すること）、そしてそのようなものを実践した結果として得られる般若、即ち智慧を身に付けることです。つまりお釈迦様は、「このような六つの行をすれば、あなたも悟る（直観を得る）ことが出来ます」と答えています。

実際問題、過去・現在・未来のあらゆる情報が凝縮されている超意識への道筋が、そもそも有るのかどうかに関しても肯定する人は少数かもしれません。しかし第六感とかインスピレーションと称されるものが、一つの阿頼耶識に到達していると言えるのかもしれません。例えば歴史上の天才と言われる様々な人は、過去の知識を土台にしつつ徹底的に考えぬいて、その知識に疑問を抱いたり新しい思考を加えたりしながら、ある日突然ふっと閃いたりしたものです。

あるいは孫正義さんと先日食事をした際、所謂ギフテッドを集めたスクールの話を聞きましたが、中には「12歳で新しい数学の定理を閃いちゃった」といった天才的なギフテッドもいるようです。そうしたインスピレーションが湧く彼等彼女等には、やはり何か特別な才能が備わっているのだろうと思います。

翻って我々凡人は、非常に早い時期に才能が開花するような天才には成り得ません。従って我々が為すべきは、徳慧(とくけい、とくえ)と言われる知を養うことです。徳慧とは、一切の諸々の智慧の中で「最も第一たり、無上、無比、無等なるものにして、勝るものなし」と説明される、先述の般若の智に通ずるものとされています。終局的には悟りに至る実践的な智慧、と言っても良いかもしれません。そうした智慧は学知を越えたものであり、知行合一を進める中で様々な修行をした徳性の高い人間にあって初めて得られるものです。我々は自分の人生経験の上に、此の徳慧を積み重ねる中で、ある種の直観力が身に付いて行くのではないかと考えています。

目標を設定す

2022年10月7日

自分が何をやりたいか、何をやるべきか

英国の作家ジェームズ・アレン（1864年—1912年）は『「原因」と「結果」の法則』の中で、次のように述べています。

——大きな目標を発見できないでいる人は、とりあえず、目の前にある自分がやるべきことに、自分の思いを集中して向けるべきです。その作業がいかに小さなものに見えようと、問題ではありません。そうやって目の前にあるやるべきことを完璧にやり遂げるよう努力することで、集中力と自己コントロール能力は確実に磨かれます。

そして右記の後に彼は続けて、「それらの能力が十分に磨き上げられたとき、達成が不可能なものは何ひとつなくなります。間もなく、とても自然に、より大きな目標が見えてくるはずです」と言っています。本稿では以下、目標設定に関し私見を申し上げておきます。

先ず、目標の大小の整理からです。会社を例に言えば、売上目標・利益目標といった数字等は、小さな目標に当たります。他方、現況から掛け離れ未来へ向けた大きな絵（ビッグピクチャー）を明示的に描き、夢を具現化して行く或いは志を貫徹して行くといった類は、大きな目標に当たります。

一年位の短期的な数字目標の場合は、「形（実績）」と「名（目標）」が同じになる韓非子流のやり方、即ち「形名参同（けいめいさんどう）」の目標設定を行うべきだと思います。人間ギリギリの時にこそ知恵が様々出てくるもので、あらゆる知恵と工夫を振り絞り必死になって努力に努力を重ねた結果、何とかギリギリで達成できる目標こそがベストだと思います。

イチローさんなども、次のように述べています。

――〝目標〟って高くし過ぎると絶対にダメなんですよね。必死に頑張っても、その目標に届かなければどうなりますか？　諦めたり、挫折感を味わうでしょう。それは、目標の設定ミスなんです。頑張れば何とか手が届くところに目標を設定すればずっと諦めないでいられる。そういう設定の仕方が一番大事だと僕は思います。

ギリギリに設定した目標を超えた時に、自信が生まれることがポイントです。一度自信をつけることに成功すれば、次に困難に直面しても「きっと次の壁も乗り越えられる」と、その自信がより大きな目標を達成して行く原動力になるのです。目標が大きくなるに従って、戦略・戦術そして様々な知恵・汗といったものが必要になりましょう。

自信とは自らに対する信頼であり、困難を克服できた時初めて本物になるものです。「艱難汝を玉にす」という言葉がありますが、本物の自信を得たいと思うならば、形名参同の目標設定を行うのが一番です。自らへの信が大きくなり、世界はこんなにも広いものかと知れば知る程、ビッグピクチャーも描けるようなってくるのです。

冒頭ジェームズ・アレンが言うように、「大きな目標を発見できないでいる人は、とりあえず、目の前にある自分がやるべきことに、自分の思いを集中して向けるべきです」。形名参同の目標達成というのは先述の自信の他、次なる目標達成へと繋がる良き副産物を時として齎(もたら)します。例えば良い人や良い商品、あるいは良い取引先が、余計に集まるといった具合です。

そうやって自分の内外に生じる良き変化の結果として、より大きなスケールで物事が考えられるようになってきて、「間もなく、とても自然に、より大きな目標が見えてくるはずです」。そして、「自分が一体何をやりたいか・何をやるべきか」を常に考えながら大きな目標が定まるところに辿り着くまで、努力し続けられるかがキーになります。初志貫徹して行くには、強い意志が求められるのです。

勇なきは去れと言うけれど

2022年10月17日

人には果たすべき役割がある

ゲーテ（1749年—1832年）の言葉に「財貨を失ったら働けばよい、名誉を失ったらほかで名誉を挽回すればよい、勇気を失ったものはこの世に生まれてこないほうがよい」というのがあります。彼には恐縮ですが私にはこの言葉はピンとこず、以下に私見を述べたいと思います。

拙著『ビジネスに活かす「論語」』（致知出版社）第一章で、私は「『知・仁・勇』——天下の三達徳」と題して、「内（うち）に省みて疚（やま）しからずんば、夫（そ）れ何をか憂え何をか懼（おそ）れん」（顔淵第十二の四）という孔子の言を挙げました。

これは、「良心に照らし合わせて反省し、心に恥じるところがなければ、何をくよくよ、何をびくびくすることがあろうか」といった意味になります。此の言葉は、「仁者は憂えず、知者は惑わず、勇者は懼れず」（憲問十四の三十）に繋がって行くものです。

天下の「三達徳」知・仁・勇は『中庸』にある徳ですが、『論語』の中では勇は他の二つに比してやや低く扱われています。歴史的に見ても、勇は『孟子』以降に付け加えられ三達徳という形になったようです。

此の勇も色々で、例えば、兎に角いきり立って冷静な判断ができず猪突猛進するタイプ、つまり「血気の勇」がある一方、「義を見て為ざるは、勇なきなり」（『論語』為政第二の二十四）とあるように、正義・大義に基づく勇は高徳に繋がると思います。だからと言って、「勇気を失ったものはこの世に生まれてこないほうがよい」とまでは思えません。

「人間において棄人、棄てる人間なんているものではない」と安岡正篤先生が述べておられる通りだと思います。「天に棄物なし」で全ての人の「人生に無駄なし」です。此の世に生を受けた以上たとえ勇気がなくても、人間は各々のミッション即ち命に応じて、それ相応に果たすべき役割があるのです。従ってゲーテは、少し言い過ぎだと思います。

また「財貨を失ったら働けばよい」とのことですが、確かに財貨が必要であれば働けば良いでしょう。他方、財貨が必要でないという人もいるかもしれません。そういう人は、自分の新たな生き方を探せば良いのです。

どれだけ働いたところで、「富貴天に在り…富むか偉くなるかは天の配剤である」（『論語』顔淵第十二の五）。働けば自分が食うに困らぬ位のことは出来るかもしれませんが、余裕がある程財貨が出来るとは限りません。

そしてまた「名誉を失ったらほかで名誉を挽回すればよい」とのことですが、これにもクエスチョンマークが付きます。名誉と信頼を同質的なものと仮定して考えますと、一旦失った信頼を他で獲得するのは、極めて難しく感じられます。「ゲーテさん、貴方は実際に挽回出来るのですか？」、これが私の率直な疑問です。

主観を追求して客観に至る

2022年11月4日

自分を確立する

――上に立つ者にはみな権力が与えられており、人間にはそれぞれ権力というものが認められております。ところが権というものは曲者であって、とかく災の生じやすいものであります。

右記は嘗て「今日の安岡正篤(37)」として、私がツイッターで紹介した安岡先生の言葉です。また続けて、次の先生の言もツイートしました。

――『老子』には「何事によらず客となって主とならず」。すべてを客観視するという処世の妙を吐露しておりますが、左様ばかり申せませぬので、権というものは早く握って、早く抜けた方がよいと思います。

全て自分が至る所主(ところしゅ)であれ、というのが陽明学の基本的な考え方であり、此の「何事によらず客となって主とならず」とは全くの逆です。私自身は、何事も主にならねば寧ろ駄目だと思っており、拙著『安岡正篤ノート』（致知出版社）第二章では、次のように述べておきました。

――陽明学では、主観を追求して客観に至るというように、自分を確立できているからこそ客観的な立場でものが見えてくると教えています。この自分の立場・主義・主張を明確にして自分を確立するというのも、東洋思想を貫く考え方であると思います。そうした自分を確立するために、とりわけリーダーたる者はすべてを自分の責任に置くというあり方を絶対に身につけておかなくてはならないのです。

『論語』に、「君子は諸を己に求め、小人は諸を人に求む」（衛霊公第十五の二十一）という孔子の言があります。君子はあらゆる事柄の責任を自ら負い、決して誰かに転嫁しません。それをやるのは小人です。責任の所在を常に自らに置くという考え方は、東洋思想の根幹にある思想だと思います。

裏を返せば、人たるもの、きちんと主体性を持たねばならぬ、と教えているわけです。『孟子』に「大人なる者あり。己を正しくして、而して、物正しき者なり」とあるように、全ては身を修めることから出発し、自分を確立し、人を感化して行くのです。

そもそも客観視する上で、それが正しいか否か等々の判断は、自分自身の主観に基づくものです。従って安岡先生の言う通り、「すべてを客観視するという処世の妙」は、無理ではないでしょうか。主と客の関連性を一言で言えば陽明学の如く、主が充実していたら客も充実して行く、といったものではないかと私は理解しています。

『人間学のすすめ』刊行にあたって
～いかにして身を修めるか～

2022年12月14日

主体性を貫くという生き方

――つれづれなるままに（無聊の慰めに）日暮らし、硯に向かひて、心に移りゆく由無し事（脳裏に去来する様々な雑多なこと）をそこはかとなく（とりとめもなく）書きつくれば、怪しうこそ物狂おしけれ。

右記は言うまでもなく、兼好法師が鎌倉時代に書いた『徒然草』の冒頭の文章です。兼好法師が自身の経験・考え・逸話などを書き綴った、全２４４段からなる随筆です。

私は若い頃に『徒然草』を読み、700年近くも前に書かれたものが、これ程までに格調が高く洗練されたものであることに驚愕したのを覚えています。また、同時に身の丈も弁えず、私もいずれ随筆でも書いてみようと思ったのです。

このことが契機となり、私は時々本や新聞、雑誌などを読んだりして、思ったり、考えたりしたことを書き留めたりブログにしてきました。

私も来年早々には72歳になり、中国宋時代末に朱新仲が唱えた「人生の五計」のうちの「老計」や「死計」を真剣に考える年になりました。すなわち「老計」とは老後の生活や健康維持のことを考えることではなく、「老」の価値をいかに見出し、それを活かしていくかということです。これこそがフランスの小説家アンドレ・ジイドの言う「美しく老いること」ではないかと思うのです。

「死計」はいかに死すべきか、ということですが、これは残された日々をいかに生くべきかということです。

このようなことを考えるべき年になりながら、私はまだSBIグループという事業グループの総師であり、事業を通じて世の為人の為に全力を尽し、1日4時間半の睡眠時間で奮闘努力しており、退屈さや寂しさなどを感じて「日暮らし」、書き物をする時間は全くないのです。

ただ、多忙を極める間のちょっとした時間に日々の生活の中で感じたり、思ったり、考えたりしたことを書き留めてきました。それが長年の間に随分溜まり、この度致知出版社のご協力が得られましたので、少しでも読者の良き気付きや刺激になればと思い、そのいくらかを上梓することにしました。こうした形で私の長年の経営者としての、またベンチャー企業への投資家としての経験を、「老」の一つの価値として御披露しようと思った次第です。

しかし、もともと浅学非才の上、十分に思索を積み重ねた書き物でもなく恥を承知での上梓だということをお含み置き下さい。また、そのような形で様々なトピックで書かれ長く溜め置いたものですので、かなり昔のものも含まれています。そこで読者の便宜を図るため森信三先生の人間学の要諦(ようてい)を記した名著『修身教授録』に倣って大きなカテゴリー、例えば、「人格形成、人間学」「仕事との向き合い方」「日本及び世界に目を向ける」といったサブタイトルごとに仕分けをしてあります。

本書のタイトルを『人間学のすすめ』としたのは、今日まで私自身の人生の歩みを通じて、最終的に帰着するところは人間学だと実感しているからです。

陽明学を樹立した中国明代の思想家の王陽明が次の言葉を残しています。

――天下の事、万変と雖も吾が之に応ずる所以は喜怒哀楽の四者を出でず。

まさに人生は千変万化で様々ですが、突き詰めれば、喜怒哀楽の四つを出ないのです。これら四つが人生の全てと言っても過言でないでしょう。人生いかに生きるかという学問が人間学ですから、人間学を学ぶということは、これら四つを正しくマネジメントする原理原則を学ぶことに繋がるのです。この真理をもう少し違う角度から考えてみましょう。例えば、歴史を学ぶということは、その歴史的事実の主人公の人物を学ぶということにほかならず、結局は人間学を学ぶことに至るのです。ですから本書は、そのかなりの部分が人間学に関わった内容となっています。

また本書には、自分の主体性を貫くという私の生き方が色濃く現れています。つまり、私の物の見方や考え方は極めて主体的です。若い時から今日に至るまでそうするように訓練してきたのです。時として読者の皆様には奇異に感じられる所があるかもしれませんが、多様性を受け入れる中でそのような見方もあるのかと軽く流すだけでなく、それについて考えられるのが良いかと思います。そうやって「読書」と「思索」を重ねるのが、「人間学」の学びに役立つと思います。

最後にもう一つ、本書は内容が多岐に亘りページ数も多いので、1ページから順次読まれるのではなく、御自分が関心を持たれる項目を目次で御覧になり読まれることをお勧めします。読まれて、もし得ることがあれば血肉化し、皆様方の人間学の日々の修養の一助に繋がれば私としては望外の喜びです。

人生を豊かにす

2022年12月30日

得るよりも与えることで

ノーベル平和賞受賞者（1952年）であるアルベルト・シュバイツァー（1875年—1965年）は、「我々は何かを得ることによって生活しているが、人生は与えることによって豊かになる」と言っています。以下、当該観点より私見を簡潔に申し上げておきます。

中国古典の書には、「義利の辨」として「義」と「利」ということが多く述べられています。例えば『論語』でも、「君子は義に喩り、小人は利に喩る…物事を判断する時、君子は正しいかどうかで判断するが、小人は損得勘定で判断する」（里仁第四の十六）とあります。その他にも孔子は、「利を見ては義を思い…利益を前にしても大義を考え」（憲問第十四の十三）

とか、「利に放りて行えば、怨み多し…利害ばかりで行動すれば、必ずや多くの怨恨が生まれるだろう」（里仁第四の十二）といった具合に、此の二字につき何度も触れています。

利に従っていたら、人生は豊かにはなりません。心が豊かになるとは結局のところ、世のため人のため如何に為すかだと私は思っています。それは、自己満足で以て心が豊かになるということではありません。それは、人間として生を受けた者の務めを果たして行くからこそ得られる、満足感や生き甲斐により心が豊かになるということです。

渋沢栄一翁の座右の銘、「順理則裕…理に順えば則ち裕なり」も、正にそういった意味であります。人生は与えることによって豊かになる――シュバイツァー博士も与えるというか、アフリカの地で沢山の人命を助けるべく尽力し、世のため人のため最後は己の命まで捧げて逝去したのです。

人間社会が秩序維持を図りながら共存する中で、夫々の人が色々な役割に応じ様々なことを為してくれるからこそ、我々は生きていられます。例えば日々美味しく食事が出来るのは、米を作ってくれる人がいたり、魚を獲ってきてくれる人がいるからであって、あらゆる事柄に感謝する気持ちを常に持たねばなりません。

感謝と言った場合に仏教では、「顕加(けんが)…目に見える何かをして頂いたことへの感謝」と「冥加(みょうが)…表に表れない、見えないものへの感謝」の二通りあります。顕加につけ冥加につけ、我々は人の御陰で以て今日生活が出来ていること自体を有り難いと思い、常々感謝をすることだと思います。自分も又、世のため人のため自分が出来ることを捧げて行くのです。これが、人間社会で長きに亘り極当たり前のように続いてきた、人間としての務めです。我々の人生は得るよりも与えることで豊かになるのです。

物事に先後あり

2023年1月27日

常日頃より考え方のトレーニングを

『森信三　運命をひらく365の金言』（致知出版社）の中に、森先生の次の言葉が載っています。

——人間は真に覚悟を決めたら、そこから新しい智慧が湧いて、八方塞りと思ったところから一道の血路が開けてくるものです。

日本が誇るべき偉大な哲学者であり、教育者である森信三先生に反論するのは非常に恐れ多いことと思いますが、率直に申し上げれば右記は分かったような分からないような言葉に感じられ、私には余りしっくりしませんでした。

物事には、先後があります。森先生の場合、「真に覚悟を決めたら、そこから新しい智慧が湧いて」というふうに、覚悟が先です。しかし逆に、閃きが起こり「これをやってみよう！」といった具合に、それが覚悟になって行くケースも多々あるのではないかと思います。

また、「八方塞りと思ったところから一道の血路が開けてくる」とは言うものの、それは覚悟の問題なのでしょうか。そうだとすると、覚悟を決めなかったら何も動かない、ということになります。また世の中には、やはり駄目なものは駄目、という物事もあります。

こっちに進むか、あっちに進むか――閃きや教え或いは出会いなど様々ある中、その覚悟を決めて行くわけで、覚悟を決めてからどちらに出発するということではないでしょう。『大学』の「経一章」にあるように、「物に本末あり、事に終始あり。先後する所を知れば、則ち道に近し」、即ち「物事には、根本と末節があり、始めと終わりがある。何が根本で何から始めるべきか、そのことをよく心得てかかれば、成果も大いに上がる」のです。

物事の本質を見極めることは、一朝一夕には出来ません。日々我々は物事の枝葉末節を的確に判断し、根本は何かと常日頃より考え方のトレーニングをし続けなければなりません。

私が私淑する明治の知の巨人・安岡正篤先生の言葉を借りて言えば、根本的には「思考の三原則…中長期的な視点を持つ／多面的に見る／枝葉末節ではなく根本を見る」に拠って物事を捉えるべく、きちっとした思考習慣を自分自身のものにして行くということです。

そしてそれを身に付けた上で、「道に近し」となるのだろうと思います。繰り返しになりますが、物事には先後があります。自分が始終努力し続けねば、その道には到底到達できないのです。

情報というもの

2023年2月13日

情報価値を見極め大局的判断を下す

NIKKEI STYLEに「村木厚子氏『情報を上げたい』と思わせるリーダーとは」（2022年11月16日）と題されたインタビュー記事がありました。御承知のように、元厚生労働事務次官の村木さんは、所謂「障害者郵便制度悪用事件」で「冤罪」を被られた方です。記事には、彼女の次の言葉が載っています。

――重要な情報が耳に入らずに『自分は聞いていていない』という上司がいます。私もそう言いたいときはありますが、自分が部下の立場だったら、本当に大事な人には相談しています。もっとはっきりいうと、役に立つ上司のところには情報を持っていきます。大事なことを聞かされないのはリーダーとして格好悪いことなのかもしれません。

情報というものは、あらゆる判断のベースになります。概して「情報を上げたいと思われる」人は先ず、情報に価値があるということを分かっているか否かで決められるでしょう。そしてもう一つは、情報の真偽を見極められるかどうかということです。それが出来ないならば、情報は時としてマイナス価値になってしまいます。

例えば私は嘗て、『兵は詭道なり』。つまり戦争・戦略というものはいかに相手をいつわるか、ということが根本であるというのであります。どうすれば相手をだまし、錯覚におとしいれて、自分の方に都合のよいようにするか」とツイートしました。「兵は詐を以て立ち、利を以て動き、分合を以て変を為す者なり」(『孫子』)とあるように、此の書は戦において嘘を作り出し、敵を騙して行く色々な「詐」という行為に関するものです。今ロシアなど正にこれを実践して、情報機関等を使い一所懸命に国の内外で情報操作しているのです。良きにつけ悪しきにつけ情報というものは、その価値を認めている人にしか集まりません。「あの人、情報を利用して何かしようとしているな」ということで、誰かがそこに情報を持って行くわけです。シビアな現実ですが、「あの人いい人だから」等々の人間的側面だけで、情報に価値を認めない人には情報を提供しないと思います。その人が情報の価値を知っているからこそ、情報に対し対価を払い更なる情報が集まるといったケースもあるでしょう。

上司・部下のフレームで述べるならば、その部下の評価に関わる類の情報は、ある面で上司に集まるベクトルが働くのかもしれません。「上、下をみるに三年を要す。下、上をみるに三日を要す」と言われますが、部下からしてみると、上司が喜ぶ情報は何かといった一つの判断基準がありましょう。会社のため、世のため人のためを考えた情報の収集・分析であっても、その中から上司が喜びそうな情報を選別し持って行くことは、自分のためです。「人は見たいと思うものしか見ようとしない」という言葉もありますが、上司・部下それぞれの人物が問われます。

リーダーには、確固たる判断基準を持ち泰然自若として、偏ることなく公正かつ適切に物事を判断する力が求められます。入ってくる情報や物の見方が一面的になってしまっては、重要な決断が求められる場面で判断を誤ることになります。「中庸の徳たるや、其れ至れるかな」（『論語』雍也第六の二九）――中庸を欠くことは、飛行機に例えれば片翼だけで飛行するようなものであり、偏っているがゆえ安定性を失い組織崩壊の危険性が高まってしまうのです。

私の場合、経営判断をするための大事な材料の一つとして、様々なソースから多様な情報を得ています。なかでも貴重な情報は、社内外の人（外国人を含めて）からのものです。私自身も、広範にホットな情報を集めようと努力しているわけです。そうして価値ある情報を様々入手し得ることは戦略上、私のディシジョンメイキングにおいても大変重要なことだと考えています。情報というものは幅広く、常に集め続けなければなりません。直観力を働かせて情報価値を見極め、価値あるものだけを取捨選択し大局的判断を下して行くことが極めて重要だと思います。

第2章

人生をいかに生きるか、その道標

青春に生きる

2022年3月31日

美しいものを見る能力

チェコ出身の作家フランツ・カフカ（1883年—1924年）は、「青春が幸福なのは、美しいものを見る能力を備えているためです。美しいものを見る能力を保っていれば、人は決して老いぬものです」という言葉を残したとされています。あるいはジャン＝ポール・サルトル（1905年—1980年）は、「青春とは、奇妙なものだ。外部は赤く輝いているが、内部ではなにも感じられないのだ」と指摘したそうです。

青春については、このように様々な人が色々な言い方をしています。国語辞典を見ますと、青春とは「夢や希望に満ち活力のみなぎる若い時代を、人生の春にたとえたもの。青年時代」と書かれています。私は、２０２２年1月21日の71歳の誕生日にフェイスブックに投稿した、次の文章が全てではないかと感じています。

――昔から70歳と言えば古希で古代より稀（まれ）なりとされていたのですが、今は70代と言うと未だ若造の内かなぁと思っています。少なくとも何歳になっても精神的には純な若者の気持ち、「烈士暮年、壮心已まず」（曹操）といった境地でありたいと思うものです。

「雄壮な志を抱いた立派な男児は晩年になっても〝やらんかな〟という気概をずっと持ち続けるものだ」（曹操）というわけで、年を重ねても尚青春に生きるためには、好奇心とチャレンジングスピリットの二つが最も必要だと私は思っています。例えば岡本太郎さん（1911年―1996年）は、「若さというのは、その人の青春にたいする決意できまる」と言われていたようですが、正にその通りだと思います。

好奇心や情熱というのは、「気」によって維持されるものです。「病は気から」と言いますが、年を取ると一段と気力が大事になります。肉体的な若さも勿論大事ですが、何よりも精神的な若さを如何に保って行くかが大切です。チャレンジングスピリットや好奇心が薄れてきたと感じる時、「烈士暮年、壮心已まず」と思い出し、自らを奮い立たせるのです。「青春とは人生の或る期間を言うのではなく、心の様相を言うのだ…Youth is not a time of life; it is a state of mind」という言葉で始まるサミュエル・ウルマン（1840年―1924年）の詩、「青春」も同じことを言わんとしているように感じられます。ダグラス・マッカーサーも愛したとされる此の詩について、松下幸之助さんによる次の要約版を御紹介し、本稿の締めと致します。

――青春とは心の若さである。信念と希望にあふれ、勇気にみちて日に新たな活動をつづけるかぎり、青春は永遠にその人のものである。

八十にして開花す

2022年4月14日

孔子が80歳まで生きていたら？

孔子は「吾十有五にして学に志す。三十にして立つ。四十にして惑わず。五十にして天命を知る。六十にして耳順う。七十にして心の欲する所に従って、矩を踰えず…十五歳の時学問に志し、三十歳にして学なって、世渡りができるようになった。四十歳で事の道理に通じて迷わなくなり、五十歳にして天命の理を知った。六十歳では何を聞いてもその是非が判別でき、七十歳になった今は思いのまま振舞っても道をはずさなくなった」と述べられていますが、残念ながら彼は80歳まで生きていません。もし80歳まで生きたのならば、孔子は何と言ったのか非常に興味深いわけですが、このような偉大な人物は長く生きれば生きただけの素晴らしいことを言われたと思います。

此の孔子の時代、「人生七十古来稀なり」とされていた中で、80歳まで生きる人は殆どいませんでした。従って孔子自身も、80歳・90歳と生きるとは想定していなかったでしょう。ですから、70歳位までに自分を完成させるといったペースで人生をやってきたのだろうと思います。そして、七十にして「矩を踰えず」ある種最高の境地に達していたようです。故に孔子が八十にして発する言葉は、その延長線上でしかないのかもしれません。

他方、我々の世代は孔子よりもずっと長生きです。「人生100年時代」とまでは言いませんが、80代位の人はごろごろいます。しかし考えてみるに、80代・90代でも全く衰えを見せないような人は滅多にいません。それは冒頭に挙げた孔子の如く、10年単位で進化し続けられる状況に変化が生じてくるからです。

何時の日か人間は必ず老いて朽ち行きます。その過程で、一番大事な脳は全体として萎縮し、ダメージを受け機能不全を起こして行きます。アルツハイマー病あるいは無症候性脳梗塞になると、最早「矩を踰えず」といった状況ではありません。それはどちらかと言うと退歩であり、子供に返るということかと思います。

そういう意味では、明治の知の巨人である森信三先生（1896年―1992年）が、例えば85歳を超えて『森信三全集続篇』（全8巻：昭和58年出版）を執筆し、新たな学問体系を樹立したことは信じ難くもあります。また同時に、長く生きている間に起こる人生観・世界観というものの変化が、人間に新たな気付きを齎し得るということかもしれません。そうして増大する知見を森先生の如く、八十にして如何にして開花し自分を完成に向かわせるのかも、我々世代にとっては儚い人生における一つの大きな課題であるように思います。

出世する人

2022年4月21日

天意を受け入れて生きる

ITmedia ビジネスオンラインに「大企業の人事担当者の8割が『出世する人には共通点がある』と回答　どんな共通点?」(2021年11月25日)と題された記事がありました。その回答として多かったのは「日々の振り返りを行っている」(60・0%)、「周囲と良い人間関係を築いている」(56・1%)、「夢や信念を持っている」(53・7%)の順であり、「学習習慣がある」と答えた人事担当者も51・2%いたとのことでした。

私は、世俗的な成功に執着しない人の方が、将来的に伸びて結果として世俗的成功に繋がるのではないかと思います。

日々、与えられた仕事をあたかも流水の如く、淀みなく流れるように右から左へと唯ひたすらに片付けて行きながらも、必ず自分のしている仕事の意義を知り、その大きさを分かろうと全身全霊を傾けることが大事です。そうして自分の所属している部署・会社あるいは社会にとっての、自分の仕事の意義を真に理解した上で、「より効率的に完璧にこなすにはどうしたら良いか」「出来るだけ品質の高い商品・サービスを提供するには如何なる方法があるか」「どうしたらイノベーションを起こして行くことが出来るのか」等々と、その意義を具現化すべく一生懸命に仕事に取り組み続けるのです。

そしてまた佳人のみならず、佳書（精神の糧になるような書）との出会いを大切することも大事です。佳書とは、私が私淑する安岡正篤先生の言葉を借りて言えば、「それを読むことによって、我々の呼吸・血液・体液を清くし、精神の鼓動を昂（たか）めたり、沈着（おち）かせたり、霊魂を神仏に近づけたりする書のこと」です。そうした書を味読して行けば、全人的な教養や人間学的意味における哲理・哲学が身に付き、品性豊かな立派な人格形成に役立つはずです。そして「美点凝視」に努め、自分が劣っている所を他から吸収すべく誠実に努力し続けて行くことが求められます。

日々の社会生活において知行合一的な実践を継続することで、世俗的な成功も含め報われる可能性が高くなるのだろうと思います。

そもそもが『論語』にあるように、「死生命あり、富貴天に在り…生きるか死ぬかは天命によって定められ、富むか偉くなるかは天の配剤である」(顔淵第十二の五)わけですから、出世するか否かも天が適切に配すとしか言いようがありません。また、そもそも天が創りたもうた人間は皆夫々(それぞれ)に全く違っているわけですから、「出世・昇進する社員の共通点」など有り得るはずもなく、我々が在るべきは天意を淡々と受け入れ、生きて行くということです。

言葉を慎む

2022年5月20日

人間の修養の眼目

私は嘗て、「今日の森信三（307）」として次のようにツイートしたことがあります。

――言葉を慎むということは、修養の第一歩であると共に、また実にその終わりといってもよいでしょう。否、言葉を慎むということは、ある意味からは修養の極致といってもよいでしょう。さればこそ古人も「辞を修めることによって誠が立つ」といわれたゆえんであります。

森先生によると、「人間のたしなみというものは、言葉を慎むところから始まるもの」とのことです。これは先生に限らず、例えば江戸末期の僧侶・漢詩人である良寛（りょうかん）も90条以上の「戒語」を残しており、言葉を慎むということを非常に大事にしていたようです。時に、言わなくて良い事柄をぺらぺらと話し続けるような人がいますが、禅の世界でもそのようなことは厳に慎むということを重視しています。

人間にとっては、言葉が最大の意思表示の手段になり得るわけですから、我々は不必要な言葉を発さないように熟慮の上で、ものを言わねばなりません。ものを言う時は、自分が思う事柄のみならず相手のこともじっくり考えるようにすれば、自然と言葉は慎むということになって行くものです。私が知る限り、兎に角ぺらぺらと喋る人間に碌な者はいないように思いますし、陰口を叩く人や人の前で第三者を批評・批判する人にも大した人物はいないと思っています。

元々が人生修養の一つの大きな要素に、「慎独（しんどく）…内心のけがれを除く」ということがあります。「至誠の域は、先ず慎独より手を下すべし。閑居は即ち慎独の場所なり」（西郷隆盛著『南洲翁遺訓』）――独りを慎み、即ち睹（み）ず聞かざる所に戒慎することが、己に克つ具体的修練の方法であり、それにより私心を無くし、誠の域に達することが出来るようになります。西郷さんは、生涯二度の流刑に処されました。奄美大島への一度目は薩摩藩が俸禄を出していた為、実質島流しとは言い難いかもしれません。しかし、徳之島・沖永良部島への二度目に関しては完全な流罪であり、衰弱し切り本当に生きるか死ぬかの状況にまで追い込まれました。

此の流刑は彼が人物を創る上で、大変プラスに作用したという側面があるようです。彼は島流しの度、人間学の書を持参し不屈の精神を持って学び続け、不遇の境涯の中で独りを慎み、自らを鍛え抜き大変な人物となったのです。西郷さんの如く自分を厳しく律し、慎独の中に一人静かに戒心することがなければ、大人物になれないのかもしれません。明の陽明学の大家である李二曲（りじきょく）も「黙養（もくよう）…黙して養う」ということを盛んに言っていたようですが、一人静かに瞑想に耽るとか何も考えず座禅するということは、英気を養う上でも極めて重要であると思います。

「誠は天の道なり。之を誠にするは、人の道なり」と『中庸』で説かれています。森先生の次の言葉で本稿の締めと致します。

――人間の修養の眼目は、これを内面からいえば、「心を浄める」ということであり、これを現われた処から申せば、まず言葉を慎むということが、その中心を為すといってもよいでしょう。心を浄めるとは、即ち誠ということでしょうが、しかも言葉を慎むということは、実はそのままこの誠に到る道なのであります。

人物を磨く

2022年5月26日

禍福は糾える縄の如し

私は郷学研修所・安岡正篤記念館さんをフォローし、そのツイートを見ていますが、その中で『菜根譚』にある次の言葉をリツイートしておきました。

天我を薄んずるに福を以てすれば、吾れ吾が徳を厚うして以て之を迓(むか)ふ。
天我を労するに形を以てすれば、吾れ吾が心を逸して以て之を補ふ。
天我を厄するに遇(ぐう)を以てすれば、吾れ吾が道を亨(とお)して以て之を通ず。
天我を苦しむるに境を以てすれば吾れ吾が神を楽ませて以て之を暢(の)ぶ。

この言葉の大体の意味は次の通りです。

天が私に僅かな幸福しか与えないなら、私は私の徳行を高くするだけだ。
天が私に苦労を与えるなら、私は私の心を鍛えあげて対応する。
天が私に災いに遭わせるなら、私は私の信じる道を貫いて行くだけだ。
天でも私の信じる道に対し何も出来ない。

安岡正篤著『百朝集』によれば、遇は「運よく物事がゆくこと」、境は「逆境」を意味します。良きを受け有頂天になるとか、悪しきを受け悲嘆に暮れるとかいったことでは駄目だということです。どれも難しいのですが、要は一言で「艱難（かんなん）汝を玉にす」ということでしょう。

「禍福は糾える縄の如し」「人間万事塞翁が馬」というように、世の運不運・幸不幸は分からぬものです。失敗が成功の基になることもあれば、その逆も又あります。天は、その人が一人前の人間になるよう、様々な試練を与えたまうということです。

それは例えば『孟子』に、「天の将に大任を是の人に降さんとするや、必ず先づ其の心志を苦しめ、其の筋骨を労し、その体膚を餓えせしめ、其の身を空乏にし、行ひ其の為すところに払乱せしむ。心を動かし、性を忍び、その能はざる所を曾益せしむる所以なり」とある通りです。

孟子は、「天が重大な任務をある人に与えようとする時は、必ずまずその人の心や志を苦しませ、筋骨を疲れさせ、餓え苦しませ、生活を窮乏させ、全て意図とは反対の苦境に立たせる。これは、その人を発憤させ、性格を辛抱強くさせ、できなかったこともできるようにするためである」（川口雅昭編『「孟子」一日一言』）といった言い方をしています。

そう簡単に人物はならないのです。安岡先生が言われるように、「本当の大器量、大人物はそんなにちょこちょこっとできあがるものではない、ゆっくり時間がかかるもの」です。天からしてみれば、与えられた様々な試練を肥やしにしながら自分を磨き続け、真の人物になって行きなさい、ということでしょう。自分を磨き上げられるか否かは全て、自分次第なのです。

凡人たる生き方

2022年6月6日

世の為人の為という志を

『1分で心が震えるプロの言葉100』（上阪徹著　東洋経済新報社）の中に、経営共創基盤（IGPI）グループ会長・冨山和彦さんの次の言葉が載っています。

――予定調和的な秩序は信用しなくなりました。確実なのは、〝確実なものなどない〟ということ。そしてプロは生き残れるということです。

プロは言うまでもなくプロフェッショナルの略で、元々の意味はプロフェッション

（profession：賃金が支払われる職業）から来ています。そうした職業に従事する人々の中で、特別なトレーニングや何らかの資格を要するような専門的な仕事をする人を称する言葉がプロフェッショナルということだと、私は認識しています。

さて、こうした定義に当て嵌まる人々をプロだとすると、医師や歯科医、弁護士、会計士、芸術家、音楽家といった人達は全てプロでしょう。では、その人達は生き残れるのでしょうか。

例えば、音楽家や芸術家で後世に名が残るような人は数が限られているでしょう。学者もそうでしょうし、名を残せるようなプロは殆どいないと思います。凡そ大多数のプロと自認されている人達は生き残らないと思います。金融の世界でも同じです。

だから我々凡人は、自分が興味や関心があり、得意だと思い、多少とも世の為人の為になることを、世俗的な名声など得ようと思わず、一生懸命やれば良いだけです。誠実に世の為人の為に生きて行けば、必ず周りに良い感化を齎（もたら）して行くものです。それで十分なのではないでしょうか。

もちろん天賦の才に恵まれた上、人並み外れた努力を積み、新しい境地を開き達人の域に到達し、「死して名を残す」ことが出来れば、これはこれで素晴らしいことでしょう。

我々のような凡人は、西郷隆盛に評された幕末・明治前期の剣客・政治家である山岡鉄舟（やまおかてっしゅう）のように「命もいらず、名もいらず、官位も金もいらぬ人」にはなれないですが、せめて世の為人の為という志を持ち、後世に何かを成し遂げたいものですね。

コミュニケーション能力とは

2022年6月14日

「心の眼」で感じ取る

あるメディアに、コミュニケーション能力を四つの要素に分解して解説している記事がありました。

その四要素とは、a．意思伝達力＝自分の考えを相手に伝える力、b．論理的表現力＝筋道立てて説明したり文章にできる力、c．好感表現力＝感じの良さを意図的に表現できる力、d．対人調和力＝相手の意図や感情を理解し配慮できる力（相手に耳を傾ける力）、とのことです。

右記は特段の論評を要さぬもので、私は本質的な話ではないように思いました。例えば、もとは禅宗の語で、言葉や文字で表されない仏法の神髄を、師から弟子の心に伝えることを意味した「以心伝心」という言葉がありますが、互いに心で通じ合うところまで行くのが、最高のコミュニケーション能力だと思います。

更に言えば私は『心眼を開く』という本を2018年に上梓しましたが、正に相手が何を考え何を望んでいるかを心の眼で見ることが出来て、また相手の方もその人の表情等からその心を感じ取ることが出来るといったところまで行くのが、最高のコミュニケーション能力だと思います。

例えば品性・徳性が高く、また何となく風格・風韻が漂うような人物は、そこに居るだけで得も言われぬものが相手に伝達されることでしょう。真のコミュニケーション能力とは、無言の内に泰然たる雰囲気等から他人に伝わるものだと思います。

心眼とは辞書的に言えば、物事の真の姿をはっきり見抜く心の働きということです。私流に心眼を解釈すると、此の心眼には次の二つの大きな働き、①自己すなわち自分自身の本当の姿を見ること、及び②自己以外の他を見ること、があると考えます。

夏目漱石の『吾輩は猫である』の中に、「彼の腹の中のいきさつが手にとるように吾輩の心眼に映ずる」とありますが、此の働きは相手の心を読むということです。此の②の心眼は①の自得がある程度出来るようでなければ、他人の心あるいは様々な物事の真の姿など、はっきりと見ることは出来ないでしょう。

自得こそが全ての出発点であるとは、明治の知の巨人である安岡正篤先生も説かれている通りです。心の奥深くに潜む本当の自分自身を知ることは極めて難しく、人生で色々な経験を重ねて行く中で一つひとつ分かってくるものです。心眼を養うべく自己を徹見・把握し、日々研鑽・努力し続けた結果として、コミュニケーション能力も高まってくるのだと思います。全ては人間力です。

人間の精神性

2022年6月30日

「愚者は経験に学び、賢者は歴史に学ぶ」

ドイツの哲学者アルトゥル・ショーペンハウアー（1788年—1860年）は、「最近の発言でありさえすれば、常により正しく、後から書かれたものならば、いかなるものでも前に書かれたものを改善しており、いかなる変更も必ず進歩であると信ずることほど大きな誤りはない」との指摘を行っています。

そしてそれに続けて、「思索的頭脳の持ち主、正しい判断の持ち主、真剣に事柄を問題にする人々、すべてこの種の人々は例外にすぎないのであって、うごめく虫類こそ、いわば世間をひろく支配する法則となっている。このような連中となると、例外的な人々が熟慮の結果試みた発言をいつも素早く敏捷(びんしょう)に改善しようとして、かってに改悪する」と言っています。

昔のことになりますが、私はフェイスブックに投稿した『機械と人間』（2013年5月13日）の中で、次のように指摘しました。

――機械文明というのが確実に進歩して行っている一方で、精神文明というのは進歩して行かないわけですが、なぜ進歩していかないかと言えば、人間には死というものがあるからです。

これは即ち、機械文明が人類社会の誕生以来今日まで退歩せず途切れることなく進んできたのに対し、如何に崇高な精神性を帯びた人も、何れは死を迎えねばならず、また偉大な子孫を残した人も皆地上から消え去らねばならないわけで、精神文明についてはその全てが確実に受け継がれ日々発展させて行けるかと言うと、死を境に一度途切れてしまうものなのです。

戦争などは機械文明とは対照的に、人間の精神性が如何に進歩して行かないかを表す一つの典型例と言えましょう。人類は、幾度の大戦を経て多数の犠牲者を生み不戦の誓いを掲げながら、戦争を完全否定すること無きままに今日まで来ているからです。冒頭のショーペンハウアーの言にもある通り、精神文明は新しきが古きよりも良いとは必ずしも限らないのです。

従って精神文明というのは往々にして退歩があり得、人間死すべきものであるが故の一種のギャップが機械文明との間に生まれて行くことから、機械文明がどんどん進歩し此のギャップが拡大して行く結果として、様々な問題を人間社会に生んで行くことになります。例えば、我々人間は同じ地球上に存在しているにも拘らず、「デジタルデバイド…digital divide：コンピューターやインターネットを使いこなせる者と使いこなせない者の間に生じる格差。労働条件や収入、入手できる情報の量や質などに見られる」問題が益々深刻化していることも一例として挙げられましょう。

要するに私が何を言いたいかと言えば、人間の精神性というものが進歩と退歩を常に繰り返しているからこそ、先哲（せんてつ）の知恵を学ぶ価値もあるということです。精神文明が機械文明の如き進歩的様相を呈しているならば、そもそも過去のものを学んでも余り意味がないかもしれません。しかしそうでないからこそ、そこに知恵の宝庫・古典をたずねる意義があるのだと思います。初代ドイツ帝国の宰相オットー・フォン・ビスマルク（1815年—1898年）も言うように、「愚者は経験に学び、賢者は歴史に学ぶ」わけです。

『旧約聖書』に、「天の下に新しきものなし」という言葉があります。現存する全ては、形は違えど過去に出来たものであり、洋の古今東西を問わず人間性も変わらないのです。故に古典に普遍妥当性が生まれ、それを今日まで生長らえさせ、二千数百年に亘りどの時代の人間が読んでも素晴らしいと思わせてきたのです。人間性というものが変わらぬ以上、歴史・時間という篩（ふるい）に掛かった東西の古典を味読して行けば、全人的教養や人間学的意味における哲理・哲学が身に付いて行き、品性豊かな立派な人格形成に役立つはずです。

ピンチから這い上がる

2022年7月15日

「好況よし、不況さらによし」

松下幸之助さん曰く、「ピンチから這い上がるチャンスは、ピンチになる前に考えていたことからは生まれない。苦しみに鍛えられ、それが薬となって次の対策が生まれる」とのことです。

人間、日頃考えていることは大体が常識の域を出ないでしょう。絶体絶命の状況になってはじめて、起死回生の様々な知恵が出てくるということは間違いないと思います。一代で大企業を創り上げた松下さん御自身も、幾度となくピンチを経験され「苦しみに鍛えられ」、その度毎に「次の対策」を打ち立て這い上がって行かれたのだろうと思います。

冒頭の松下さんの、「好況よし、不況さらによし」という味のある言葉に戻ると、不況は会社にとって、本物に生まれ変わるチャンスです。不況期には、ものやサービスは簡単には売れません。そこで会社としては、徹底的に設計段階から製品やサービスの見直しを行います。会社が生き残るため、身体を筋肉質にし、体力をつけていく絶好の機会となるのです。

「五パーセントより三〇パーセントのコストダウンのほうが容易」と松下さんが言われるように、雑巾を絞っても一滴も出ないというのであれば、「設計段階から全て見直そう」といった発想が自然と生まれてくることでしょう。そういった機会を与えてくれるのが不況であり、それは30％のコストダウンのような大胆な革新に繋がってくるわけです。

右記は正に孫子の言、「死地に陥（おとしい）れて後生（のちい）く…味方の軍を絶体絶命の状態に陥れ、必死の覚悟で戦わせることで、はじめて活路を見いだすことができる」と同じではないかと思います。背水の陣を敷き、如何にすべきかと考え抜かざるを得ない「死地」の環境下に置かれた時、人間というのは火事場の馬鹿力や「次の対策」が出てくる部分があるのでしょう。

例えば企業再生は、「運が良ければ」「上手く行ったら」といった類の問題ではなく、中途半端なコミットメントでは成し得ません。「上手く行かねば自分も終わり」という位の覚悟を決め、『詩経』にある「戦々兢々（せんせんきょうきょう）として、深淵に臨むが如く、薄氷を履むが如」く、一蓮托生で事に全身全霊で当たらねばならぬものです。

順風満帆の中、革新的発想は中々生まれません。寧ろ、環境の悪い時の方が良い発想が出てきます。「かつてない困難からは、かつてない革新が生まれ、かつてない革新からは、かつてない飛躍が生まれる」わけです。そして何より人間、ピンチから這い上がった時にこそ大いなる自信ができ、一皮剥けて人物が出来てくるのです。

礼を以て人と接す

2022年7月21日

人は自ら信ずるところがあってこそ

私は嘗て、「今日の森信三（272）」として次のようにツイートしたことがあります。

――謙遜という徳は、相手にたいする自分の分際というものを考えて、相手との真価の相違にしたがってわが身をかえりみ、さし出たところのないようにとわが身を処することをいうのであります。

森先生曰く「謙遜は、ひとり目上の人とか、ないしは同輩にたいして必要なばかりでなく、むしろそれらの場合以上に、目下の人にたいする場合に、必要な徳目だともいえる」ということです。

また先生は、上位者に対する心得の根本を一言で次のように述べておられます。

——すべて上位者に対しては、その人物の価値いかんにかかわらず、ただその位置が自分より上だというゆえで、相手の地位相応の敬意を払わなければならぬ。

此の敬意を払うとは、言うべきことを言わないということではありません。それが目上の者に対する謙遜ということでもなく、「とにかく相手の地位にふさわしいだけの敬意を払うよう」努めながら、言うべきことは基本的にきちっと言えば良いでしょう。要するに、自分の身の程を弁え「相手との真価の相違にしたがって」、言相応に、自分を今一度内省し見つめ直して行くということです。

右記は礼儀の問題です。目上であろうが同輩であろうが目下であろうが、きちっとした礼を以て人と接することが大事なのです。平たく言えば、地位等が如何なるものであったとしても相手を尊重する、「人間尊重の精神」ということです。

『論語』の中にも例えば、孔子の言「詩に興り、礼に立ち、楽に成る…『詩』の教育によって学問が始まり、礼儀によってわが身を立て、音楽によって人格が完成される」（泰伯第八の八）や、孔子の高弟である子夏の言「君子は敬して失なく、人と恭々しくして礼あらば、四海の内は皆兄弟たり…君子は慎み深く過ちを犯さず、人に対して謙虚で礼儀正しくしていれば、全世界の人はみな兄弟です」（顔淵第十二の五）があります。

「礼に過ぎれば諂いとなる」（伊達政宗五常訓）とも言われますが、常日頃から人間尊重の精神に根差し礼を以て人と接している人なら、媚び諂うようなことにはならないでしょう。

最後に本稿の締めとして、森先生の次の言葉を紹介しておきます。

――謙遜ということは、その人が内に確固たるものを持っていなくては、出来ないことではないかということです。言いかえれば、人は自ら信ずるところがあってこそ、はじめて真に謙遜にもなり得ると思うのです。

七養ということ

2022年8月5日

黙することで養われるもの

私は郷学研修所・安岡正篤記念館さんをフォローし、そのツイートを見ていますが、その中にあった『格言聯璧』にある次の「七養」をリツイートしておきました。

時令に順うて以て元気を養ふ。思慮を少うして以て心気を養ふ。
言語を省いて以て神気を養ふ。肉慾を寡うして以て腎気を養ふ。
嗔怒を戒めて以て肝気を養ふ。滋味を薄うして以て胃気を養ふ。
多く史を読みて以て胆気を養ふ。

安岡先生の『百朝集』によれば、元気は「身心一如の原始的創造力」、心気は「その内奥の心理的な力」、神気は「その更に奥深い霊的なもの」であります。先ず時令とは「季節・時候の意」、食事で考えれば一番栄養価が高い旬のものを食べて元気を養うということです。

次に「言語を省いて以て神気を養ふ」で言うと、私は2022年5月20日のフェイスブックへの投稿の中で次のように述べました。

――森信三先生によると、「人間のたしなみというものは、言葉を慎むところから始まるもの」とのことです。これは先生に限らず、例えば良寛も90条以上の「戒語」を残しており、言葉を慎むということを非常に大事にしていたようです。

兎に角ぺらぺらと喋り続ける人というのは、あまり考えずに喋っており浅薄に感じられる場合が多いです。人間にとって言葉が最大の意思表示の手段になり得るわけですから、我々は不必要な言葉を発さぬよう熟慮の上でものを言わねばなりません。

また「飲食女色は腎を弱め、嗔怒は肝を傷め、脂っこいような食物は胃に悪い。古今の治乱興亡に通じることは胆気を養って度胸を造る」とのことです。特に年を取ってから性欲で振り回されると碌なことにならず、それはきちっと抑えて行かねばなりません。最後に「思慮を少うして以て心気を養ふ」ですが、思慮を常に少なくするのではなくて、メリハリが求められるのだろうと思います。時に自分の心を一遍空にして、再度考えてみることが大事です。

例えば座禅を組み瞑想をすると、活力（心気）が養われます。別の言い方をすれば、「寧静致遠…落ち着いてゆったりした静かな気持ちでいなければ遠大な境地に到達できない」ということです。瞑想が世界中で称賛される所以もここにありましょう。「黙養」という言葉もある通り、黙することで心気も神気も養われるのです。

友を択ぶ

2022年8月30日

人生を豊かにする交わりを

あるファッション誌の公式サイトに、「周囲の困った人に振り回されないようにするには？【増えてます『自分は正しい』症候群】」（2021年2月10日）と題された記事があり、冒頭「相手を分析・スルーすること、そして時には、〝プチ悪人〟になって意地悪な見方をすることも必要です！」と書かれています。

ちなみに右記「症候群」は次の三つのタイプ、a．自分のメリットを最大化しようとする「利得型」、b．自分の価値を高めるのに必死！「自己愛型」、c．弱みがあるからこそ他人を攻撃する「否認型」、に分けられるとのことです。

私見を申し上げれば、「類は友を呼ぶ」あるいは「朱に交われば赤くなる」わけですから、先ず相手がどういう人間かを知ることに努め、その上で付き合うに足らぬと判断した人とは、シンプルに付き合わなければ良いと思います。その選択の自由は、皆平等に与えられているはずです。

『啓発録』（幕末の先覚・橋本左内が15歳の時に自分の生き方と志を認めたもの）の五項目の一つに、「交友を択ぶ・択交友…友を選んでくだらない人間とは付き合わない」とあります。『論語』にも、「忠信を主とし、己に如かざる者を友とすること無かれ…誠実に約束を守ることを第一とし、決して自分にそぐわない人とは友達となるな」（学而第一の八）とありますが、正に「交友を択ぶ」ことを大切にすべきです。

また付き合う人を選ぶに当たっては、次の「益者三友、損者三友」ということが一つ大事になると思います。

――「直きを友とし、諒を友とし、多聞を友とするは、益なり。便辟を友とし、善柔を友とし、便佞を友とするは、損なり」（『論語』李氏第十六の四）。

孔子曰く、「正直な人、誠実な人、色んなことに通暁（つうぎょう）している人を友とするのは有益である。こびへつらう人、あたりさわりは柔らかいが誠実さにかける人、心無く口先だけの人を友とするのは損だ」ということで、私も全くその通りだと思います。

勿論、稀に何らかの理由で選択の自由が脅かされ、望まぬ付き合いが生じることがあるかもしれません。そういった場合も自らの主体性をきちっと保ちながら、相手に振り回されることにならぬよう距離感に注意しつつ付き合うのです。そもそもが、だらだらべったりとした付き合いは基本しない方が良いと思います。「君子の交わりは淡きこと水の如し」（『荘子』）で、私は「淡交」ということが大事だと思っています。

我々は自分自身の人生を豊かにし、周りの多くの人の人生も豊かにすることにプラスになるような交わりのみを求めて行くべきです。「佞人（ねいじん）…口先巧みにへつらう、心のよこしまな人」の類とは、何も付き合う必要などありません。人物を見極め「交友を択ぶ」のです。

人間とは何か

2022年9月7日

人生の生きた問題を解決するために

拙著『何のために働くのか』（致知出版社）の「はじめに」の冒頭で、私は次のように述べました。

――昨今では、ほとんどの若者は「何のために働くのか？」について真剣に考えたことがないと思います。同様に「人間とは何ぞや」、「人生いかに生くべきか」といったことも、恐らく考えたこともない若者がほとんどだと思います。

拙著発行より16年が経ちますが、右記状況に大きな改善は見られません。本来ならば小中高を通じた学校教育あるいは家庭教育は、「人間とは何か」「人間いかに生くべきか」ということに関する基本的な学問、人間学を身に付ける機会とならねばなりません。

――私たちの生きている社会は人間のつくった社会です。仕事をする相手も人間です。人間抜きには何も語れないのです。したがって、人間とは何かと考えることは、よく生き、いい仕事をするためには欠かせない大きなテーマになります（『何のために働くのか』）。

人生の生きた問題を解決するためには、人間というものの探求が絶対に欠かせないのです。私自身、長年の研究テーマは「人間とは何か」「人間いかに生くべきか」ということで、これまでずっと中国古典を中心に様々な書物を渉猟してきました。こうした事柄は何千年もの昔から洋の東西を問わず、偉大なる哲人達が考え抜いてきた究極のテーマです。此の哲学的難題に対し例えば安岡正篤先生は、「一人物の死後に残り、思い出となるのは地位でも財産でも名誉でもない。こんな人だった。こういう嬉しい所のあった人だというその人自身、言い換えればその人の心・精神・言動である」と言われています。

人間とは何かといった場合、他の動物と比して考えることがよくあります。人間は万物の霊長と称されますが、その是非は兎も角何が貴重かと言うと、やはり「その人の心・精神・言動」が、その人を霊長たらしめるということです。そして「このことが、人間とは何かという問の真実の答になる」と、安岡先生は言われます。

人間としての成功あるいは真価は、棺に入って初めて問われるべきものです。棺桶に入る手前になって自問自答し、「まぁ自分の人生これで良かった。自分に課せられた天命をある程度自覚し、その達成に向けて世のため人のため努力をし頑張った」という思いで此の世を去れたなら、それは幸せなことでしょう。あるいは、残念ながら力及ばずして自分の天命を果たせなかった場合でも、その志を次代へと、志念を共有している者に引き継ぎ世を去れたならば、それはそれでまた幸せなことでしょう。

人間どう在るかが大事です。我々は死するその時まで、「人間とは何か」「人間いかに生くべきか」といった根本を問い続ける必要があります。一人物の死後に残り、思い出となるのは地位でも財産でも名誉でもないのです。

情というもの

2022年11月25日

人間は社会的動物である

アリストテレス（前384年―前322年）の『弁論術』に、ロゴス・パトス・エートスの三要素、即ち論理・感情・信頼ということが挙げられています。これを私流に平たく言えば、知情意ということだと思います。ロゴスとは正に知であり、パトスとは情であって、エートスとは倫理の世界でこれを意と解釈しても良いでしょう。これらの三要素は何時の時代でも、人を動かすために非常に重要です。

『草枕』の一節に、「智に働けば角が立つ。情に棹（さお）させば流される。意地を通せば窮屈だ。とかくに人の世は住みにくい」とありますが、此の知情意のバランスを如何にとるかが極めて大事なのです。知情意全体を統一体としてバランスさせて行くに当たっては、知情意夫々の中でのバランスも重要になってきます。「中庸の徳たるや、其れ至れるかな…中庸は道徳の規範として、最高至上である」（『論語』雍也第六の二九）というように、中庸を保つのは至難の業です。それを達成するべく、我々は死を迎えるまで修行し続けて行かざるを得ないのです。

経営とは、多くの人間が一つのベクトルに向かい和の力を発揮して行くように組織を動かすことで、これが出来た時に組織体というのは強くなります。つまり、人間組織というものは、知情意の三要素がバランスを持って上手く機能した時に、初めて本当の力が発揮されるのです。知だけで組織運営は出来るものでもありません。エートスというか倫理的価値観が全ての根本としてなくてはならず、その上に知と情があるわけです。強い組織では倫理的価値観が共有化され、所属している色々な人々の知や情がバランスを取りながら運営されているのです。

自らが描くビジョンを達成する為に、組織の様々な人に納得して貰う必要性が出てきます。理詰めで説くと「智に働けば角が立つ」わけで、その理自体は正しくとも感情として受け入れられない、といったケースも多々出てきます。王陽明が弟子に与えた手紙の中に、「天下の事、万変と雖も吾が之に応ずる所以は喜怒哀楽の四者を出でず」とありますが、経営においても枢要なものは、単なる理知でなく情と合わさった知、即ち、情知だと私は考えています。

情こそが、ある意味最も人間を人間たらしめるもので、そもそもこれを抜かした経営などというのはあり得ません。人間の世界は所詮「喜怒哀楽の四者を出でず」、それぐらい情というのは大事なのです。「人間は社会的動物である」とアリストテレスが言うように、人というものは他人や社会の干渉なしには存在し得ない、自分一人では生きられない動物です。ですから集団生活を円滑にする為には、知よりも情に重きを置くべきでしょう。人を動かし世を動かす為に、人間学を通じた修養により情知を磨いて行くのです。

失敗するということ

2022年12月23日

全ての努力に無駄はない

以前ツイッターで、私の次の言葉がリツイートされていました。

——ストレスを抱える人が多いといわれる時代ですが、ストレスが生じる理由のひとつに、高望みしすぎるということがあるのではないでしょうか。バラ色のストーリーを描きすぎるということです。ものごとは9割方うまくいかないものだと考えればいいのです。

物事の殆ど全てが成功するが如く考える人は結構いますが、そういう人に対し私は何時も、「十のうち一〜二つが思い通りに行ったら御の字です。ひょっとしたら百のうち一つしか思い通りにならないかもしれない。事が成功するなど、それぐらいの確率なんですよ」というふうに話しています。世のあらゆる事柄は常に不確実で失敗が当たり前との認識の下、常時「策に三策あるべし」としてA案が駄目ならB案、B案が駄目ならC案といった具合に、最初から少なくとも三つ位は用意しておくことが大事です。『書経』にも「有備無患(ゆうびむかん)…備え有れば患い無し」とあるように、私の経営も一貫してそういう形で行ってきました。

ディシジョンメイキングをして行くことに、失敗は付き物ですから、最大限のリスクがどの程度なのかを先ず見ます。ここが肝要です。次に現況から考えてその程度であれば十分affordable（許容可能）となった場合、上手く行ったらどの程度のリターンが見込み得るかを考えた上で、リスクとリターンを算盤勘定に掛けて判断を下します。そしてサントリー創業者の鳥井信治郎さんではありませんが、「やってみなはれ」ということにもなるのです。

私は基本、こうしたリスク等を頭に入れ三策を有しつつ、常時〝be positive〟であるべきだと思っています。これは何事かによらず極めて大事です。宮本武蔵は「我事において後悔をせず」と言いましたが、起ったことは起ったこと・やってしまったことはやってしまったことで、それを後悔し思い悩み、ストレスを溜め込んでも仕方がありません。失敗だと分かった時に如何にして立て直せるか、また片方で、「失敗したのも天命だ。その方が良いから天がそうしてくれたんだ」と割切れるかが重要なのです。

何もかも成功するなど有り得るはずもなく、失敗して寧ろ当然だと思いながら、チャレンジして行くのです。何かにチャレンジして初めて、何のために生まれてきたかが段々と分かってきます。事の正否に拘らず、全ての努力に無駄はないのです。人間は一人では生きて行けず、周りによって生かされています。そういう社会的動物として生まれてきた以上、社会で果たすべき何らかの役割があるはずです。その役割が、天命というものです。我々にとって天命を知ることは、生きる目的を知ることだと私は思っています。

感性を豊かにする

2023年1月5日

生きている時代をつかまえられる人

あるファッション誌の公式サイトに「感性を磨けば毎日が輝く！『感性』の正しい意味と磨く方法をまとめてご紹介」（2021年2月23日）と題された記事がありました。国語辞典を見ますと、感性とは「1物事を心に深く感じ取る働き。感受性」「2外界からの刺激を受け止める感覚的能力」等と書かれています。

中国古典の「四書五経」の一つ『易経』に、「君子もって虚(きょ)にして人に受く」とあります。此の虚は「心にある空虚な隙間をいう。心が動く空間であり、感じる能力、感性の源」を言いますが、如何にして豊かな感性を得るかは極めて難しい問題です。

『論語』に、「詩三百、一言以てこれを蔽う、曰く思い邪なし」（為政第二の二）とあります。孔子は、『詩経』の三百篇に「邪な心なし」というくらい、詩には真の感情が吐露されており正にひん曲げたような思いが全く流れていない、といった意味のことを述べています。

孔子は『詩経』を非常に大事にしたようです。こうした情操教育は感性を高める上で、大変重要だと私も思っています。同時にまた芸術的なもののみならず、人間に対する深い愛情、あるいは自然や取り巻く環境に対するある種の愛情といったものが、情操の基本になっているのだろうと私は考えています。

冒頭の記事文中「感性がある人の特徴」として、「想像力がある／自分に素直／五感に優れている／感情表現が豊か」が挙げられています。芸術家などは、非常に優れた美的感覚を有していると思います。例えば陶器なら陶器に、その作家の感性や品性、全ての人間性を表現して行くということです。

所謂コンテンポラリーアートなどでも、「全く分からんなぁ……」と言う人が結構いる一方で、「素晴らしい！」と評価されちゃんと値段が付いていき、芸術として相応しいと思う人もいます。感性豊かな人は、新しい芸術の世界をそこに認め、評価しているのです。私も「全く分からんなぁ……」の方ですが、それは好みの問題であると共に、時代の問題もあろうかと思います。

唯、江戸時代につくられたものでも、今日的新しさがある、といった形で評される芸術作品も数多あります。私は人間が美しいと感じるものは、古今東西ある面で変わらない部分はあるのかもしれない、と最近思ったりもしています。

何れにせよ、感性豊かな人というのは一つの言い方をすれば、時代の風を感じられる人、その生きている時代をつかまえられる人のことでしょう。何事にも全て兆しがあります。「微を見て以て萌を知り、端を見て以て末を知る」（『韓非子』）——先ずは「虚にして」微かなる兆候に気付き敏感に反応するのです。そしてそれを突き詰めて行く中で、感性というものは次第に磨かれるのかなと思ったりしています。

リーダーの五条件

2023年2月22日

人情の機微を知り尽くす

『論語』（陽貨第十七の六）に、弟子の子張が孔子に「仁を問う」章句があります。孔子は「能く五つの者を天下に行うを仁と為す…天下で五つの美徳を実行できたら、それが仁である」と応じ、その「五つの美徳」につき次のように述べています。

――恭寛信敏恵なり。恭なれば則ち侮られず、寛なれば則ち衆を得、信なれば則ち人任ず、敏なれば則ち功あり、恵なれば則ち以て人を使うに足る。

第一に「恭なれば則ち侮られず」。態度というものの大切さ、いわゆる謙虚さのことを説いています。丁重で恭しい人は、他人から侮辱されたり侮られたりすることはないものです。

第二に「寛なれば則ち衆を得」。自分に優しく他者に厳しい人を誰も評価しないでしょう。人心を得るために大切なのは、寛大であることです。人に対し寛容な精神を持ち自分に対し厳しい位でないと、人の心は得られぬものです。

第三に「信なれば則ち人任ず」。誠実であればこそ他者から信頼され、大切なことを任せてもらえます。他者に信用されているからこそ、誰かを紹介してもらえたりもするわけです。信は、対人関係の中で一番大事なものです。

第四に「敏なれば則ち功あり」。表面的には、敏速であれば仕事ができるということです。深層的には、物事の変化の兆しを捉えパッと動いて行くということです。敏とは、人間のみならず動物も持っている一つの本能のようなものです。

第五に「恵なれば則ち以て人を使うに足る」。人の上に立つ者が恵み深くなければ、人は喜んで働きません。気が利くか否か、あるいは人の気持ちが分かるか否かです。ちょっとした心遣いで、皆一所懸命になってくれるものです。

以上、『論語』にリーダーの資質を求めますと、右記「恭寛信敏恵」に尽きるのだろうと思います。指導者であろうがなかろうが、此の五字だけでも中々できないことです。例えば春秋時代の鄭の名宰相・子産が、次の言葉を残しています。

――政治というものは多少理に反するところがあっても、まず民を悦ばせてやらなければなりません。そうでないと民は信じません。信じないと従いません。

どうやったら人は喜び・怒り・悲しみ・楽しむのか、といった人情の機微（表面だけでは知ることのできない、微妙なおもむきや事情）が分かる人になるには、自分が日々の生活の場で様々な喜怒哀楽や辛酸を嘗めるようなことを経験したり、他の人の喜怒哀楽の場面を観察し共感を得たり同情したりすることです。小学校を出ただけの叩き上げで宰相にまで上り詰めた田中角栄、あるいは水呑百姓として生まれ足軽から頂上を極めた豊臣秀吉などは、人情の機微を知り尽くし、ある意味最も上手く人心を得ていたのだろうと思います。

第3章

大局観と覚悟を持って歩む

撤退する勇気

2022年2月25日

時流を洞察し、その変化に応じる

「『やめる』は実は、『始める』より大切で難しい」（2021年9月23日 日経ビジネス）という記事では、「僕たちは本能的に『思考を節約』するようにできている」／「ケチな人ほど陥りがちな『本当の損』」／「『良いこと同士の選択』という難しさ」／「まずは『計画の立てすぎ』をやめる」といった各見出しで、様々な意見が述べられています。

戦争であれ事業であれ、ある種の覚悟を持ち物事をスタートするのは比較的簡単です。しかし、物事を終結させるということは大変難しいものがあります。それは何故かと言えば、何かをやめる際には、今迄やってきたことが間違いであったと認める勇気が求められるからです。

戦争は言うに及ばず、事業でも勇気なく間違いを認めることができずに、引き際が分からなかったケースは結構みられます。初めの内は成功し上手く行っていた場合などで、周囲の環境変化に気付かず、スローダウンすべきタイミングや引き際を間違えてしまうのです。自社の事業はこれしかないといった具合に、何ら疑う余地もなく同じ事柄をだらだらとやり続け、そして引き際が分からぬまま時が過ぎ、結局会社がガタガタになって終わらざるを得ない状況になるわけです。

事業でも撤退するというのは、ある種の敗北であって、それに対する勇気・決断・合理性等々が皆揃っていないと中々出来ないものです。全事業の成功などほぼ不可能であり、勝算なき事業を続けていても無意味ですから、トップは自身の判断の間違いを認め、退くという決断が求められる局面に幾度となく立たされます。トップはこうした時、時流を洞察しその変化に勇気を持って応じなければならず、それが出来ぬトップであれば、その組織の行く末は破滅の道を辿ることになるのです。

私は、ＳＢＩグループ創業時に作った五つの経営理念の一つに、「セルフエボリューションの継続…経済環境の変化に柔軟に適応する組織を形成し、『創意工夫』と『自己変革』が組織のＤＮＡとして組み込まれた自己進化していく企業であり続ける」という言葉を入れました。これはそうした企業体質を有することが、企業の長期存続の条件として非常に大事だと考えたからです。

環境はそう簡単に変えられません。だからこそ、自らを変えることで生き残ることを考えるべきでしょう。変化に応じなければ、新たな環境の中で生きては行けません。過去の成功体験に溺れることなく、常に勇気を持って、自己否定・自己変革・自己進化というプロセスを続けて行かねばならないのです。

ちなみに、嘗てマスコミから「再建王」や「船舶王」あるいは「四国の大将」とも称された坪内寿夫さん（１９１４年－１９９９年）も、「撤退が一番難しい」と仰っていました。絶え間ない環境変化の下、被る損失を最小限にとどめるべく撤退のディシジョンメイキングをして行くことは、何かを始めるより余程難しいことだと思います。

所報「SBI Research Review」創刊にあたって

2022年3月11日

次世代・デジタル金融のあり方を

ＳＢＩ金融経済研究所は、所報「SBI Research Review」を創刊しました。本報では、岩村充・早稲田大学名誉教授、土居丈朗・慶應義塾大学教授を始め、著名な研究者による論考を掲載しています。

本記事では、「巻頭言」（政井貴子・ＳＢＩ金融経済研究所代表理事）を転載し、皆様と共有致します。

今後のＳＢＩ金融経済研究所の情報発信にご期待下さい。

次世代・デジタル金融について研究・提言を行うことを目途に２０２１年４月開所したＳＢＩ金融経済研究所では、この度、所報「SBI Research Review」を創刊いたしました。監修をして下さった当研究所顧問、慶應義塾大学の土居先生をはじめ、ご支援くださいました全ての方々に、厚く御礼申し上げます。

約１００年ぶりの感染症によるパンデミックも足掛け３年目になりました。まず、その感染症の状況を記録しておきたいと思います。新たな変異株が昨年末発現し世界に伝播していきました。国内での新型コロナウイルスのワクチン接種率が高まったこともあってか一息つけたのも束の間、我が国においても、２０２２年入り後、感染者数が指数関数的に増加し、現在も記録的な水準で推移しています。このため、本巻頭言を執筆中の２０２２年１月末時点で、全国30を超える都道府県でまん延防止等重点措置が適用されている状況になっており、経済面では、年明け以降の飲食や旅行を中心としたサービス消費に影を落としています。

もっとも、そのような環境下においても、我が国経済は全体としては持ち直しつつあり、政府によると、一度大きく落ち込んだ経済規模は、２０２２年度には、コロナ禍前の水準を上回る見通しとなっています。実際、２０２２年1月に発表されたＩＭＦ（International Monetary Fund, 国際通貨基金）の経済見通しでも日本の暦年ベースの経済見通しについては、小幅ながら上方修正されており、今後も回復の軌道を進んでいくとの見通しを維持しています。

とはいえ、ＩＭＦは２０２２年の世界経済見通しそのものについては、前回２０２１年10月の見通し対比で0.5%下方修正しています。不動産部門の金融問題や厳しい移動制限の長期化を背景として成長鈍化が懸念されている中国、既に昨年中にコロナ禍前を上回る水準に経済が持ち直した欧米でも、新たな変異株の感染拡大、サプライチェーンの混乱やエネルギー価格の高騰に起因するインフレの長期化、米国を中心とした金融政策の転換などの理由から、前回10月の見通し対比で２０２２年の経済成長の勢いは弱まるものとしています。特に、ＩＭＦが早くからUNEVEN RECOVERY（不均一な回復）と指摘し懸念していた状況は基調として続いており、我が国も含めた先進国がコロナ禍前を上回る水準に復する姿とされているのに対し、多くの新興国は引き続き深刻な生産量の低下が続くものとされています。こうした不均一な成長の長期化がもたらす世界経済の先行きが懸念されます。

例えば、遡ること2年前の春。新型コロナウイルス感染症が世界で急拡大していった折には、金融資本市場の安定維持に、各国当局間の連携が強く意識された政策が展開されました。翻って2022年の今、米国では歴史的なインフレ高進と強い雇用市場の引締まりを受け、緩和的な金融政策の調整局面が始まっています。同様に新興国を含む多くの国々においても、米国金融政策の動向に加え、中央銀行の掲げる物価上昇率以上にインフレが進行し、またコロナ禍が長期化の様相を見せてきたことから、中国などわずかな国を除き、経済が未だパンデミック前の水準回復が見通せていない国々でも、政策金利の引き上げが行われています。IMFも指摘していますが、実質金利の上昇がもたらす市場の不安定さを覚悟する年となりそうです。

こうした中、デジタルスペースにおける金融市場では、何が起こり得るでしょうか。また、仮に何らかのディスラプションが起こった時、リアルな金融市場にスピルオーバーする蓋然性はあるのでしょうか。

米国に目を転じれば、クリーブランド連銀のZimmermanらが昨年発表したワーキングペーパーでは、新型コロナウイルス感染症対策としてとられたEIPs政策（Economic

Impact Payments, 米国財務省発行の新型コロナウイルス対策の給付小切手）の結果、家計を通じて暗号資産市場に資金が流入したことを指摘しています。特に、そうした動きが単身の家計で顕著であったことが示されたことは注目されます。また、Krugmanは、このところの暗号資産の時価総額の下落は、過去の米国での住宅バブルが破裂した時の影響よりも桁違いに小さく、金融システムを脅かすほどの規模ではない、としながらも、NORC（Notional Opinion Research Center, 米シカゴ大学の全国世論調査センター）の調査結果として、暗号資産の投資家の44%は白人ではなく、55%が大学の学位を持っていないことを踏まえ、デジタルスペースにおける金融市場への投資は、一見して多様な投資家に投資機会を与えているとも言えるものの、サブプライム住宅ローンがそういった層を中心に広がっていったのと同様に、主たる投資家が何に投資しているのか理解していない、という共通点があることを指摘し、当時の状況と重ね合わせ警鐘を鳴らしています。

迎える1年、我々は様々な事象を確認しながら、暗号資産の価格形成や、そのインパクトについて見識を蓄えていく必要があると感じています。

最後に、CBDC（Central Bank Digital Currency, 中央銀行デジタル通貨）について、少し触れたいと思います。

日米欧の中央銀行は、CBDC発行について、一歩踏み込んだコミュニケーションをとり始めています。ECB(European Central Bank, 欧州中央銀行)は、2023年秋と年限をある程度切った上で、デジタルユーロのあり方を包括的に点検するものとしています。FRBは、2022年1月に「デジタルドル」の利点や課題を整理した〝Money and Payments: The U.S. dollar in the age of digital transformation〟を発表し、パブリックコメントを募集しました。我が国においては、2022年1月28日の国会答弁において、日本銀行黒田総裁が、CBDC発行の可能性の判断時期について年限を切る発言を行うなど、報道の表現を借りれば、「従来の姿勢を半歩進めた」と言えます。

もっとも、FRBは先のレポートの冒頭で、CBDC発行については、行政や議会の明確な指示がない限り発行の意図はないと明言しています。発行そのものについては、究極的には国民の意思、すなわち民意が欠かせないわけですが、こうした中央銀行のコミュニケーションスタンスを見ていると、我々国民が、決断する時期もさほど遠い話でもなさそうに思えます。

このCBDCの議論をするとき、近代通貨システムそのものを見直すべきとの意見もあるようです。そのような考えも重要ではあるものの、数年先に導入を見据えるには、少し飛躍した意見であり、丁寧な議論が必要なように感じています。

幕末から明治期にかけ我が国が近代通貨システムへ移行していく過程で、日本銀行が設立されましたが、その設立趣旨の一つとして、各種経済活動の決済にかかる取引費用を削減することが述べられています。決済のファイナリティを中央銀行が担保するという近代通貨システム以前は、現在の中央銀行のような中央集権的な役割は存在せず、言わば、分散型の金融システムだったと言えます。中央集権的な主体を有さず、意思決定を参加者の合意に委ねるパブリック型の分散台帳を用いた決済システムは、中央集権的な決済システムとの比較においては、決済に時間がかかり、それ故、要求される手数料も固定的ではなく、かつ相応の水準となる可能性があるようです。パブリック型の分散台帳を活用した決済システムは、決済手段がデジタル化しているか、そうではないか、という点以外では、近代通貨システム以前と似ている部分があるように思われます。

また、現在の通貨制度と決済のファイナリティを中央銀行が担保するという近代通貨システムは、長い歴史の中で幾度も訪れた危機の経験を踏まえシステムの頑健性を十分に備えるに至っています。このシステムを利用した金融調節は、マクロ経済政策から、貸出のインセンティブ付けに至るまで、応用性も高く、今の時点では最も安定し優れたシステムであるものと考えられます。

こうした通貨システムそのものの議論については、近代通貨システム成立の経緯や役割を踏まえつつ、その将来の姿を先端技術動向も含めてアップデートし、世の中に分かりやすく説明していくことが求められているようにも感じています。

更に、様々なサービスの基盤となる決済インフラは、どこかで、現在の日本銀行の基盤システムから新たな基盤へ、例えば、中央集権的な主体を有し、参加者を限定するプライベート型の分散台帳を活用した基盤システムへと移行していく可能性はあるものと考えています。また、その前提としてのクラウドの実装も議論がなされていくと思われます。

こうした基盤システムの移行にかかわる議論に際しては、生産性や効率性といった経済面のみならず、国の基盤インフラを守るとの観点から、国防といった安全保障上の視点も当然視野に入れる必要があります。プルーデンスの観点での金融取引の規制や税制の検討のみならず、安全保障など幅広い視点も考慮した体系的な政策づくりが肝要となります。そのことは、多くの専門家の皆さんが各々の専門分野で検討していく必要があることを示しています。

当研究所は、縷々申し上げたこうした問題意識のもと、次世代・デジタル金融のあり方を検討するべく、多くの研究者や実務家の皆さんが集い、ミクロ・マクロ様々な観点から議論を自由に行える場でありたいと思っています。

主体性を確立す

2022年5月13日

日本を取り巻く環境が激変する中で

『致知』2014年3月号の特集「自分の城は自分で守る」に、作家・北康利さんと私との対談記事が掲載されています。次の一節は、その時私が発した言葉です。

――いまの世の中はどこか自立心に欠ける人が増えている。自分を頼って生きていく、そういう人間に我われ一人ひとりがなっていかないといけない。

福沢諭吉の『学問のすゝめ』に、「独立の気力なき者は必ず人に依頼す、人に依頼する者は必ず人を恐る、人を恐るるものは必ず人に諛ふものなり」、とあります。「独立」というのは、独りで立つと書きます。それは自分の二本の足で確りと地に足をつけて立つ、自立するということです。又それは、経済的のみならず、精神的にもです。付和雷同するようでは全く駄目で、主体性を確立して行かなければなりません。

此の独立の「独」の東洋における意味は、一言で言えば相対に対する絶対ということです。独の人は、何ら他に期待することなく徹底して自分自身に対して生きています。宮本武蔵の如き「一剣を持して起つ」境涯に至って、初めて人間は真に卓立し、絶対の主体が確立するのです。

右記に関して私は、次のようにツイートしたことがあります。

――これは国の場合でも勿論同じで、一国の安全や防衛を他国に依存しているが故に、阿ったり、諂ったり、媚びたりするのです。そのような甘え心やもたれ心を人においても、国においても一切無くす事が非常に大事であると思います。いずれ憲法改正も必要になってくるでしょう。

これは11年半以上も前のツイートですが、漸く我国でも2022年2月のロシアによるウクライナ侵攻を契機に、「米国に何でも彼んでも尻尾を振り付いて行っては大変なことになるかもしれないぞ！」「今後も現行憲法を金科玉条（きんかぎょくじょう）の如く後生大事に守り続けて行って本当に大丈夫か？」、といった議論が現実味を帯びてきました。

あの日本共産党ですら、「急迫不正の主権侵害が起こった場合には、自衛隊を含めてあらゆる手段を行使して、国民の命と日本の主権を守りぬく」（志位和夫委員長）と、宗旨変えするような有様です。あれだけ自衛隊をけちょんけちょんに言ってきたにも拘わらずです。これこそ正に、党としての自立が全く出来ず、何時までもフラフラしている集団の典型と言えましょう。

日本を取り巻く環境は激変しています。独立国を維持することは、「ありがたい…有ることが非常に難しい」ことなのです。独立には、主体性に基づく責任というものが伴わなければなりません。それは国家であれば世界秩序安定に向けた責任、個人であれば世のため人のために生きる責任です。

日本及び日本人の主体性喪失を招いてきた「マッカーサー押し付け憲法」は、2022

年5月に施行から75年を迎えました。我国の将来を考えると、「独立自尊」ということが益々必要な時代になっているように思います。此の独立自尊こそが個々人の主体性確立には必須であり、その結果として品格の向上にも繋がって行くのです。

共産主義国としての東欧諸国が崩壊に至るまで大体70年掛かったように、物事の移り変わりというものは大体60年から70年を一つの区切りとしています。そしてその変わり方は何れのケースでも、主体性を取り戻すということなのです。独立自尊の思想が皆無の現憲法の異常性について、我々にはこれから如何に処すべきかが問われています。

血と育ち

2022年6月23日

良い習慣を得て不断の努力を

『論語と経営　SBI北尾吉孝 上 激闘篇』（大下英治著　エムディエヌコーポレーション）の「第八章　SBI、ソフトバンクから独立」に、孫正義さんが私を評した過分な言葉が次のように載っています。

——北やん（北尾の愛称）は、やっぱり大局観があります。物事を見る大局観、そして、緻密な分析能力、この二つを備える稀有な経営者です。緻密な人は大局を見られない場合も多いけれど、北やんは違います。最初に大きく大局を捉えて、それを緻密に分析する。守りが強い人は攻めが弱い人が多いけれど、北やんは守りも攻めも非常に強い。そういう意味では凄い人物だと思います。

そしてまた私の大局観につき「いつ身につけたことなのか」孫さん曰く、「北やんの子どものころからの環境や、学び続けてきたことなども含めて、彼の天性によるものなんだと思います。もちろん社会に出て、野村證券時代に、優れた経営陣から、学んだことも多かったでしょう。僕自身も、彼に多くのことを学ばせてもらいましたから」とのことでした。

私見を申し上げれば、大局観にしろ分析能力にしろ、様々な才知全てに共通して言えることは次の二点、①遺伝的素養＝御先祖様から脈々と受け継いできている「血」、及び②育った環境＝「三つ子の魂百まで」とも言われる「育ち」、が非常に大事な要素になるということです。

例えば大阪船場には、「気品三代」という言葉があります。気品をつくるには三代かかる、という意味の言葉です。即ち、三代の祖先の修行の積み重ねが、当代の品性に影響を及ぼしているということです。子供からしてみれば、自分の両親あるいはその親である御爺・

御婆の躾（外見を美しくすることではなく、心とその心が表れた立ち振る舞いを美しくすること）が、自分の品性に大きく絡んでいるのです。また今を生きる自分の言動が、三代後の子孫の振る舞いに影響を及ぼして行くのです。

このようにして、血や育ちの上に自分という個がある程度確立されて行き、その後に色々な友人達や先輩諸氏あるいは書物との巡り合いの中で、大局観や物事の思考方法なども様々に影響を受けてくるのだろうと思います。言うまでもなく血や育ちを変えることは大変難しいわけですが、「学問修養」によっては自分を変えることも可能であり、品性を高めて行けるようにもなります。

日夜「敬」と「恥」のプロセスを繰り返しながら、「美点凝視…努めて、人の美点・良所を見ること」に徹するのです。そして自分をより良き方に向かわせるべく、良い習慣を得て不断の努力を重ねるのです。概してそうした種々の上に血や育ちが併さって、人物というものが出来て行くのではないかと思います。

物価高騰の裏に潜む大転換の兆し

2022年8月22日

世界が大きく揺れ動く

私は三カ月に一度、雑誌『経済界』にコラム「視点」を寄稿しております。その第九回を皆様に共有致します。

干支学で言うと2022年は「壬寅」（じんいん・みずのえとら）である。年頭所感で私は「10年後に振り返った時、大きな分岐・転換になった年と位置付けられると思う」と社員へ語った。今年は全世界が物価高騰に悩まされているが、その背景に壬寅の年ならではの大きな「転換」の兆候が見える。

一つは米ＦＲＢ（Federal Reserve Board, 連邦準備理事会）による急激な利上げだ。リーマンショックとコロナ禍で行われた量的緩和により、２００７年頃に９千億ドル程度だったＦＲＢ総資産は既に約９兆ドルに膨らんだ。過去に類を見ない金融緩和が物価を押し上げているのは言うまでもない。「インフレは一時的」との見解に固執していたパウエル議長も態度を一変させ、６月・７月と連続して０・75％の大幅利上げを決定した。いよいよ金融大緩和時代の終焉となる転換の年になりそうだ。日本も遅かれ早かれ金利を上げていかざるを得ないだろう。

もう一つの「転換」は米中対立の行方だ。米政府は知財侵害を理由に中国製品に制裁関税を課し、人権侵害や国家安全保障等の懸念から多くの中国ハイテク企業への締め付けを強めた。また、米国当局の監視強化などを背景に、米上場の中国企業約２００社が上場廃止になる懸念も高まっている。米中対立により世界の工場である中国を中心とした国際分業体制も揺らぎ、サプライチェーンの寸断が物価上昇を助長している。インフレに苦しむ米バイデン政権は最近になって漸く対中関税の引き下げに重い腰を上げるかに見えたが、ペロシ米下院議長の訪台を機に米中緊張が一層強まった。いずれにせよ、米中対立の構図の行方は今後の大きな分岐点となっていくだろう。

三つ目はロシアによるウクライナ侵攻だ。その影響で世界のエネルギーや食料等の価格高騰に拍車がかかった。また、米主導の軍事同盟であるＮＡＴＯは北欧2国の加盟実現により一層存在感が増し、加盟国は揃って国防費を増やす方向で動いている。一方、ヨーロッパ主導の経済連合であるＥＵは参加国の85％に相当する23カ国がＮＡＴＯと重複することもあり、経済よりも軍事を前面に出さざるを得ない欧州の現況は第二次世界大戦以来の転換期となるかもしれない。

最後に、5月の選挙で敗北を喫した豪モリソン首相、相次ぐ不祥事で7月に辞任した英ジョンソン首相、そして10月の大統領選で劣勢の続く伯ボルソナロ大統領など、トランプ前大統領と同様に自国第一主義を掲げて人気を集めた各国の指導者が相次いで交代していく年になりそうだ。そして、約7年半と憲政史上最も長く首相を務めた安倍晋三氏が銃撃されたことも記憶に新しい。7月の参院選では憲法改正に前向きな自民、公明、維新、国民の4党で3分の2議席を超えるなど、安倍氏の悲願であった憲法改正が現実のものとなるかもしれない。これは日本にとって歴史的にも、経済的にも、もちろん政治的にも様々な意味で象徴的な出来事になっていくだろう。

年初の予見通り、世界が大きく揺れ動く大変革の年になりつつある。変化が多くかつその程度が激しいという認識を常に持って行動していきたい。

故稲盛和夫氏を偲ぶ

2022年9月22日

「世のため人のため」を生涯貫いた人

稲盛和夫さんが亡くなられてからひと月が経ちます。私はこれまで「北尾吉孝日記」あるいは拙著や様々な雑誌のインタビュー記事等を通じて、稲盛さんが如何に偉大であるかを幾度となく話してきました。本稿では、過去の私の稲盛論より、その一端を御披露し、哀悼の誠を捧げます。

「対談 稲盛和夫VS北尾吉孝 仕事師に学ぶ『地道に大成する』人生学」（『プレジデント』2006年1月30日号）

――稲盛さんは、ファインセラミックスの分野で世界的な発明をされたように、無から有をつくり上げてこられました。「自我作古」、つまり「我より古を作す」（前人未到の新しい分野に挑戦し、困難な試練が待ち構えていても開拓したこと――『宋史』）を実践されている。経営者として大きな事業を興され、社会的事業にも積極的に関わっておられます。また驕り高ぶることなく常に謙虚で、東洋哲学の「謙」（へりくだる）の精神を立証されています。

『稲盛和夫が尊敬される4つの理由』（「北尾吉孝日記」2013年8月30日）

――2カ月程前、日経ビジネスオンラインに「稲盛和夫はなぜこれほど世の関心を集めるのか」という記事がありましたが、ある経営者を評価するという場合、当然ながらその経営者が如何なる実績を示したかということが最大のポイントになるでしょう。

また、ゼロからスタートした事業で実績を上げ、世界的な企業を創り上げてきた経営者というのは稲盛さんの他にも沢山いるわけですが、何故に彼はそうした経営者とは違った形で「これほど世の関心を集め、企業人の人気も高い」のか、以下4つの観点から私見を申し上げたいと思います。

第一には、巷ではＪＡＬ再建ということばかりが注目されていますが、例えば企業再生ということでは積極的というよりは頼まれる形で、彼は「中堅カメラメーカーだったヤシカを取り込み、立て直し（中略）会社更生法の適用を申請した複写機メーカー、三田工業（現・京セラドキュメントソリューションズ）の再建」等のために尽力され、立派に再建されたということが先ずあります。

第二には、独占状態になっていた電電公社（日本電信電話公社、現ＮＴＴグループ）に対し、彼はＤＤＩ（第二電電株式会社）を創り上げ成功させてきたということで、そういう意味では独占的状況に競争原理を導入し、より安価な物・より良いサービスを国民に提供して行くという形で、大変な貢献をしてきたとも言えるでしょう。

第三には、四半世紀以上も続けられる中で今や日本における最も世界的な賞の一つとなり、また世界でも国際賞として非常に高く評価されるものに仕上げられた「京都賞」（世のため人のためということを志し、生涯を通じて夫々の分野の仕事に打ち込んでこられ科学技術の進歩や人類の精神の進化に大変貢献された方を顕彰する制度）の創設にも見られるように、彼は単に功成り名遂げて終わりということではなく、ある意味世のため人のためということを生涯を通じて徹底されてきたということが挙げられます。

第四には、企業経営に関する一つの思想というところに留まるのではなく、「稲盛哲学」とも言うべき、人間として如何に生くべきかということにおいても、彼は大きな思想的貢献を果たしてきたということです。

以上、大きく言って4つのことに因り、彼が他の創業経営者とは一線を画した形で尊敬を集める対象になっているのだろうと思われ、『偉大なるかな稲盛和夫』（2012年11月12日）と題したブログでも述べたように私自身も非常に尊敬しています。

『仕事の迷いにはすべて「論語」が答えてくれる』（拙著、朝日新聞出版）

――私は中国古典だけではなく、若い頃から経営者の人物論や回想録についてもよく読み、彼らの言葉から多くを学んできた。尊敬している経営者は数多くいるが、その中でもあえて三人を挙げるとすれば、渋沢栄一さん、松下幸之助さん、そして稲盛和夫さんであろう。

この三人の共通点は、「学びて思う。思うて学ぶ」を徹底されているところである。そのため意必固我に陥ることなく、人として経営者として、優れたバランス感覚を持っている方々である。（中略）

稲盛さんとはある会合でお会いして以来、親しくおつきあいさせていただいている。

２０１２年の初めにも、韓国のハナフィナンシャルグループの金勝猷（キムスンユ）会長から、「稲盛さんを韓国に招いて講演会を開きたいので紹介してくれませんか」と頼まれたので、私が稲盛さんにご連絡を取り、韓国の企業経営者千人以上を前にした講演会をご無理を申し上げ極寒のソウルで行っていただいた。終わって拍手が鳴り止まぬ素晴らしい講演であった。

稲盛さんは大変な読書家であり、西郷隆盛の『南洲翁遺訓』や、その西郷に多大な影響を及ぼした佐藤一斎の『言志四録』などを愛読書とされている。

特に西郷隆盛については、彼が好んでよく使った言葉である「敬天愛人（けいてんあいじん）」を京セラの社是にされている。京セラのホームページには、「敬天愛人」とは「常に公明正大、謙虚な心で、仕事にあたり、天を敬い、人を愛し、仕事を愛し、会社を愛し、国を愛する心」のことであると書かれている。

稲盛さんの素晴らしいところは、書物を通じて学んだことを知識だけで終わらせずに、自身のオリジナルの思想にまで高め、しかもその哲学を実践されていることだ。

くだんの韓国の講演会の際も、事業を起こす際には公明正大で大義名分のある高い目的を立てることや、立てた目標を常に社員と共有すること、思いやりの気持ちを持って誠実に商いを行うことの大切さなどを話しておられたが、これらはすべて稲盛さんが実際に取り組まれてきたことである。

これは渋沢栄一さんや松下幸之助さんも同じである。（中略）

書物から学んだことを血肉化し、自分の生き方に落とし込んでおられる。しかも御三方とも、自分が培ってきた生き方、考え方を、自著という形で多くの人に伝えられている。だから人々は、『論語』を読んで自分の生き方、あり方を考えるように、渋沢さんや松下さんや稲盛さんの著書からも学び取ろうとするのだ。

『何のために働くのか』（拙著、致知出版社）

——正しいことをやらなければ物事は決して成功しないということを、稲盛和夫さんは人生の方程式に表しました。

「考え方×能力×熱意＝人生・仕事の結果」

これは素晴らしい方程式だと思います。考え方がプラスかマイナスか、つまり正しいか間違っているか。もし考え方が間違っていたら、能力や熱意が大きいほどマイナスが大きくなってしまう。したがって、考え方の間違っている人は決して成功しませんよ、と稲盛さんはおっしゃっているのです。（中略）

これは企業人なら誰でも他山の石とするべきことでしょう。仕事において成功を得るためには、考え方が正しいか正しくないか、それを自らに問うことが何よりも大事なのです。

波乱万丈の人生、どんな苦難や逆境に遭遇しようと、恨まず、嘆かず、腐らず、明るくポジティブに人生を受け止め、素直に努力すればよい——逆境の時、困難な状況で心に沁みてくるのが、稲盛さんの此の言葉です。

世のため人のためを生涯貫き、世界・人類に対し偉大な貢献を実践された御方と面識を得られた幸運に心から感謝すると共に、私も少しでも稲盛さんに近付けるよう小成に安んずることなく事上磨錬して行かねばと思いを改めて強くしています。

稲盛さん、さようなら。ゆっくり休まれて下さい。本当に有難う御座いました。

Cboe社との覚書締結について

2022年10月25日

日本の金融市場に新たな変化を

ツイッターでもお知らせしたように、当社ウェブサイトに「Cboe Global Markets, Inc.との覚書締結のお知らせ」（2022年10月25日）というプレスリリースを掲載しました。本覚書の締結によって、両社が行うPTS（Proprietary Trading System, 私設取引システム）の運営といった従来型の金融分野及びデジタル金融分野における業務提携の可能性について協議することに合意しました。

Cboe社は米国三大取引所の一つで、市場インフラと市場で取引される様々な商品を提供するリーディングプロバイダーとして、世界中の市場参加者に最先端の取引、清算、投資ソリューションを提供しています。また、北米、欧州、アジア太平洋地域において、株式、デリバティブ、デジタル資産、FXなど複数のアセットクラスにおけるトレーディングソリューションと商品を提供しています。日本においては、2021年7月にPTS運営会社であるCboe Japan Limited（旧Chi-X Japan Limited）を買収し、日本のPTS運営事業に参入しています。

SBIグループとCboe社は、金融業界の改革をリードしてきたことや先端テクノロジーを活用したデジタル金融分野に積極的に進出してきたことなど、共通点が多いと認識しています。両社の化学反応により、日本の金融市場に新しい変化を齎すことで規制改革を促し、日本の投資家、特に個人投資家の利益に資する取り組みができるものと考えており、ひいては「貯蓄から投資へ」という日本の積年の社会課題解決への貢献も期待しています。

今後は本覚書に基づき、両社が行うPTS運営事業といった従来型の金融分野のみならず、日米を中心としたグローバルなデジタル金融分野での提携も視野に入れ、両分野における業務提携の具体化に向けた協議を進めて参ります。乞うご期待！

暗号資産業界は新たな展開へ？

2022年11月14日

規制の明確化によるさらなる進化

私が雑誌『経済界』のコラム「視点」に寄稿した内容を皆様に共有いたします。

デジタルアセット分野における規制を強化・明確化する動きが加速している。米バイデン政権は政府機関に対し、デジタルアセットの管理を強化し、規制の不十分な点を明らかにするよう求めた。シンガポールの中央銀行であるシンガポール金融管理局も、個人投資家の暗号資産取引を制限する方向で検討を開始した。

こうした動きは、暗号資産に係る機関投資家の破綻が相次いでいることが背景にある。

例えば、ピーク時には2兆円以上の運用資産残高を誇ったとされる暗号資産ヘッジファンドのスリーアローズ・キャピタル社は、２０２２年5月以降の暗号資産市場の急落の影響を受け破産申請を行った。そのあおりを受け同社に融資していたデジタル資産仲介会社のボイジャー・デジタル社も破綻するなど、連鎖的に関連各社が大きな損失に見舞われている。

更に半年後、11月11日に暗号資産交換業大手のＦＴＸトレーディング社は日本の民事再生法に相当する連邦破産法11条の適用を申請した。負債額は推定で最大で7兆円にのぼり、暗号資産業界では過去最大の経営破綻となる。その二日前に、ＦＴＸ社の買収で合意していた暗号資産交換業大手のバイナンス社が、その方針を撤回したことが最後通告となったようだ。そのバイナンス社のチャンポン・ジャオＣＥＯはＦＴＸ社の破綻に関し「多くの連鎖的な影響を見ることになるだろう」と連鎖破綻への警戒を示しており、今後「暗号資産業界のリーマンショック」と呼ばれる日が来るかもしれない。

更に中身をよく見て見ると、２００１年のエンロン事件を彷彿させるような巨額不正会計問題も出てきている。サマーズ元米財務長官は、ＦＴＸを金融詐欺だと指摘し、「リーマンショックに例える人が多いようだが、どちらかといえばエンロン事件に近いだろう」

とも話している。いずれにせよ当局はこれを機に、より一層の規制強化・明確化に動き出すことは間違いない。

なお本件に関し、ＳＢＩグループの暗号資産事業においては、顧客の預り資産等に影響ございませんのでご安心ください。

有価証券性の問題も忘れてはならない。リップル（XRP）が２０２２年10月に急騰したのは、二年以上続く「ＸＲＰは証券か否か」を巡るＳＥＣ（Securities and Exchange Commission, 米国証券取引委員会）とリップル・ラボ社の裁判について、早期解決が見えてきたことが一つの要因である。他にも、９月にブロックチェーン・プラットフォームであるイーサリアムがコンセンサスアルゴリズムをコインの保有量が重要になるＰｏＳ（Proof of Stake）へと移行したが、ＳＥＣのゲーリー・ゲンスラー委員長は「融資と非常によく似ており、ＰｏＳプロトコルを基盤とする暗号資産は全て証券である可能性が高い」との考えを示し、イーサリアムが暴落した。証券と見なされればイーサリアムベースのＮＦＴやＤｅＦｉへの影響も大きく、ＸＲＰ以上のインパクトを齎（もたら）すだろう。

なお、日本においては暗号資産取引所への上場はすなわち当局の審査を通過しているということであり、コインとして認められたということになる。金融庁は2023年度の税制改正要望で、企業保有の暗号資産に対する課税方法の見直しを提案しており、企業にとっては有難い動きだ。さらに「新しい資本主義」では、暗号資産やブロックチェーン技術を活用するWeb3推進を目指すことが明記されるなど、日本は当分野で世界に先行できる可能性を秘めているとも言える。

これら規制の明確化は、デジタルアセット分野の急拡大の証左ともいえよう。事実、世界中で次々と新しい動きが出てきている。世界各国で株式・デリバティブ市場を運営するCboe社は、暗号資産の現物・先物取引所を運営するErisX社の買収を2022年5月に完了し、デジタルアセット分野に参入を果たした。9月には、米金融企業らによりデジタルアセット取引所が設立されている。米セキュリタイズ社のような、STやNFTといったデジタル証券の管理に特化した会社の設立も相次いでいる。また米投資銀行ゴールドマン・サックス社は、暗号資産への投資需要の高まりを受け、急成長を遂げる富裕層向け事業を資産運用部門に統合することで、デジタルアセット時代に即した事業モデルへの転換を図っている。

このように世界各国で規制が明確化されていけば、デジタルアセット分野に構造変化が齎され、さらなる進化・発展を遂げていくことは間違いない。

功成り名遂げて身退くは天の道なり

2022年12月1日

自らを厳しく律して

アルベルト・アインシュタイン（1879年―1955年）の言葉に、「人生を楽しむ秘訣は普通にこだわらないこと。普通と言われる人生を送る人間なんて、一人としていやしない。いたらお目にかかりたいものだ」というのがあります。普通か否かは相対的なものですが、我が身を振り返ってみて普通の人生を送ってきたかと言うと、「まぁ違うなぁ」という気はします。私は社会に出てからこれまで仕事に没頭してきました。一日四時間半程度の睡眠時以外、朝から晩まで一分一秒たりとも仕事のことが頭から完全に離れて行くことはありません。仕事のことを考えながら本を読み、新聞・雑誌に目を通して、御飯を食べている時は又ふと仕事のことを考えます。常々そういうふうに頭が回転し仕事に打ち込んでいるのは、恐らく普通ではないでしょう。

普通の人が如何なる生活を営んでいるかにつき、率直に申し上げて私にはよく分かりません。仕事の他、趣味・家族・友人等全てのバランスを取りながら生きておられるのかもしれません。他方その人が本当にそれで幸せな人生を送っているかどうかは、また別の話です。

『論語』に、「これを知る者はこれを好む者に如かず。これを好む者はこれを楽しむ者に如かず」（雍也第六の二十）とありますが、仕事でも何でも楽しむ境地になってやっていれば、生き甲斐や遣り甲斐があるということなのだと思います。私自身は仕事を嫌だと思ったこともなく、寧ろ生き甲斐を見出してきたのかもしれません。従って私から仕事を取ったならば、一体私の人生は何だったのか、というふうに思うのかもしれません。

しかし段々と年を重ね行く中で、何時までもトップを退かずにいたら一体どうなるでしょうか。私は今月98歳になる母親の世話を毎日し、此の八年近く老老介護を続けていますが、母は年齢と共に脳の老化、即ち認知症がどんどん進行しているように思います。人間である以上、私自身も脳の老化への道に一歩一歩近づいているということでしょう。

組織の長は、気力・知力・体力が充実していなければ務まりません。そうでないと直観力も働かず、的確な判断も下せません。「功成り名遂げて身退くは天の道なり」(『老子』)――どこかで退くということを真剣に考えないと、役職員や株主に迷惑を掛けることになります。「猫の首に鈴を付ける」と言いますが、私は自らを厳しく律して自らに鈴を付けねばならないと思っています。

自分自身の能力の限界は、自分で分からねばなりません。その為に、日々思考力・記憶力・直観力等々を自分でチェックしたり、脳のMRIを年1回ぐらい受けたりしています。自分の気力・知力・体力の充実具合は、事業の実績として残ってきます。結果が出なくなったならば、「もう貴方の勘も鈍ってきたね」ということだと思いますが、幸い私の能力は今の所は落ちていないように思います。

覇権の行方

2022年12月8日

歴史的使命に対する自覚を

1995年から始まった恒例行事で、2022年28回目を迎える「今年の漢字」は12月12日に発表されます。2022年には様々なイベントがあり、毎年同様「その年の世相を表す漢字一字」の第1位を予想するのは非常に難しいことだと思います。私自身いま自分の頭に真っ先に浮かぶのは、ロシア・ウクライナ戦争です。ちなみに月初に発表された「2022ユーキャン新語・流行語大賞」では、「キーウ」が「トップ10」に入っていました。

戦争の「戦」ですと、2001年に「米国同時多発テロ事件で世界情勢が一変して、対テロ戦争、炭疽菌との戦い、世界的な不況との戦いなど」を理由に選ばれています。しかし私は此の「戦」という字よりも、当たる当たらないは兎も角、「覇」の字の方が適当ではないかと考えています。それは21世紀、ロシアにしろ中国にしろ夫々、覇権を目指した戦の最中にあるということからです。世は正にアジアの時代となり、覇権主義に突き進む中国の存在は今後益々大きくなるでしょう。

世界の覇権を巡る歴史を振り返って見ますと、産業革命以降今日まではアングロサクソンが圧倒的な力を持ち、支配する世界を作り上げてきました。誰が次の覇権を握るか、大きな歴史観を持ち、いま地球上で次々起こっている事柄を見て行く中で、次代が如何なるものかもある程度洞察できます。我々は新たな時代に飛躍すべく、世界の潮流を逸早く察知しなければなりません。

——今年が分岐、転換、前時代との隔絶の年であり、変化が多くかつその程度が激しいという認識を常に持っておく必要がある。言うまでもなく、そういう年は事業リスクも大であるからです——

私は以前投稿した『年頭所感』（2022年1月4日）で、こう述べました。世界経済に繁栄を齎したグローバライゼーションは、２０２２年に終焉を迎えたと言えると思います。世界は再びブロック経済化され、第二の冷戦構造への瀬戸際に立たされています。今年も正に「分岐、転換、前時代との隔絶の年」であり、経済環境にも隔絶を齎す大きな変化が起こっているのです。

ロシア・ウクライナ戦争は、そう簡単には決着しないでしょう。ここで又更に、中国と台湾の問題まで現出するとなれば、本当に由々しき事態と言わざるを得ません。世界は極めて難しい局面へと向かいつつあります。覇権戦争の過渡期で日本は、中国と米国、東洋と西洋の懸橋となり、世界に期待された役割を果たすべく、リーダーシップを発揮して行かねばなりません。我々国民は、歴史的使命に対する自覚を持ち未来を見据え、平和裏にその使命を果たそうという努力が求められているのです。

年頭所感

2023年1月5日

金融を核に金融を超える

明けましておめでとう御座います。

吉例に従い、今年の年相を干支により考察しましょう。

今年の干支は「癸（みずのと）卯（う）」、音読みでは「キボウ」です。

まず癸ですが、甲から始まる十干の十番目、つまり最後です。だから、この癸の字を含む年は、転換期となることが多い年であり、甲から始まる十年間の締め括りの年とも言えるのです。

字義としても「めぐる」「ひとまわりする」「回転する」「転換する」があります。

癸の甲骨・金文等の古代字形を見ると矢尻を四方に突き出したような形をしており、「兵(ぶき)なり。三鋒矛(ぼうほこ)なり」といった解釈もあります。四つの刃がぐるっと一巡すれば、周辺はなぎ倒されます。世の中が次の世に移るために、前の十年の世を力ずくで終わらせるということです。

他の代表的な「癸」の字義の解釈として、例えば後漢の許慎は『説文解字』で「水四方より地中に流入する形」としています。つまり「癸」は冬枯れの季節に、それまで見えなかった四方の水路がはっきりと見えてくる様をかたどった文字であるとしています。さらに「冬時、水土平にして揆度(きたく)すべきなり」と説明しています。見通しがよくなり、測量に便利ということで、癸には「はかる」という意があります。測る時にはどうしても人の手が加わりますから、手偏をつけて「揆」という同一の義に用いられる字が生まれてきました。揆度（全体を推し量る）、揆策(きさく)（計画）といった熟語も出来てきました。また「はかる」には、はかる標準や原則がなければならないので「道」とか「則(のり)」とかいった意味が出てきます。

こうした「癸」の字義から、今年は次の新しい十年の飛躍に向けた布石を打っていく年と考えられます。従って、万事筋道を立てて熟慮し、それに則って計画を立ててテキパキと処理していかなければなりません。筋道を逸脱し、方針が曖昧だと、人々の不平・不満が爆発して混乱をきたし、「一揆」が起きることもあります。

他方、「卯」の字義ですが、『説文解字』によると音通で冒（ぼう）と読み「万物地を冒（おか）して出ず。門を開くに象（かたど）る」とあります。新しい世界が開けていく年と見ることが出来ます。また卯には『史記』律書によると茂る意があります。卯は茆（ぼう）で茅（かや）や薄（すすき）等の茂みを表しています。これは良い意味では繁茂・繁栄ですが、悪くすると紛糾し、動きがとれなくなります。だから「卯」の年には、茅や雑草の茂った未開墾地を思い切って開拓していかなければならないのです。

次に、古代中国の自然哲学である陰陽五行説で見ましょう。

「癸」は「水の陰」で冬の小寒といったことを表しています。そして、「卯」は「木の陰」に分類され、春の兆しが訪れたことを表しています。「癸」と「卯」は「水生木」の「相生」で補完し生かす関係です。従って、冬の寒気が緩み、萌芽を促すといったことを表しているのです。

以上を統合すると、癸卯の年は、原理・原則を弁えて、緻密な企画・政策を立てて万事正しく筋を通して、同士と力を合わせどんどん実行して行くと繁栄に向うが、これを誤ると事柄が紛糾して動乱を招くという意味を含んでいます。そのため、一旦やり方を間違うとなにもかもが壊れて、ご破算にもなりかねない年であると言えるでしょう。しかも来年は、旧体制が破れて新たな激動が始まる「甲辰」の年へと移っていくことになります。日本内外の政治・経済情勢は現在既に混迷を極め、実に難局にあるのです。

次に、過去の癸卯の年にどんな事があったかという点について、史実から特徴的なものを拾ってみましょう。

・420年前（1603年）徳川家康が征夷大将軍に任じられ、江戸に幕府を開く
・180年前（1843年）水野忠邦の行った天保の改革も激しい反対にあって頓挫した。内外物情騒然たる年
・120年前（1903年）日露戦争前年で、緊迫した状況

・60年前（1963年）

1月　手塚治虫原作の漫画『鉄腕アトム』がTVアニメとして放送を開始。毎週連続で放送するTVアニメの先駆けとなった

3月　吉展ちゃん誘拐殺人事件

4月　日本初の横断歩道橋設置

7月　経済企画庁が発表した経済白書で「先進国への道」がタイトルとして掲げられた

7月　OECD理事会、日本加盟を承認

7月　日本初の高速道路「名神高速道路」が開通

8月　人権差別撤廃を訴えワシントン大行進

9月　米国の国際収支改善策の一つとした新税（金利平衡税）導入により、日経平均株価は暴落し底値を付けた

10月　日本で最初の原子力発電が成功。以後毎年10月26日は原子力の日とされた

11月　大量のニセ千円札が見つかったのがもとで、伊藤博文肖像の新千円札発行

11月　三井三池炭鉱で爆発事故。死者458人

11月　ケネディ米大統領、テキサス州ダラスで暗殺される
12月　プロレスラーの力道山、刺傷され15日に39歳で死去

右記のように、60年前の癸卯の年には痛ましい事件が次々と起こる中、翌年に東京オリンピックを控え、戦後の高度成長期の真っただ中で相次いでインフラの整備や施設の建設がなされました。日本は先進国への道に向け、国際的地位の向上と開放体制への移行を着々と推進したのです。

こうして癸卯の字義・五行・史実を見てきますと、先述したような今年の年相が浮かび上がってきます。つまり、干支学的には国内外の政治・経済への取り組みを一歩間違えると難局とも言える状況に陥る可能性が高いのです。

SBIグループはこうしたことに十分に留意し、左記のような形で更なる事業の成長発展に向け挑戦して行かなければなりません。

第一に、1年単位で物を考えず、次の新たな十年の成長に向けた布石を打つといったような、少し長めのスパンで事業を再構築する必要があります。

例えば、ＳＢＩ証券では日本株オンライン取引の手数料ゼロ化を予定しています。これによる利益の減少に向けては、これまでもビジネスラインを多角化してきましたが、顧客基盤が拡大するから大丈夫というのではなく、より具体的にどうやってその失う部分を埋め、かつ新たな収益源を拡大することでより大きなプラスを生み出すかということを数字で表わした計画を作り、それを各プロジェクトチームが果敢に断行し、その上で目標を明確化し、更にその達成度を明示しなければなりません。

そうしながら、計画を常にブラッシュアップしていくのです。混迷の時代においては、それに対応するべくより具体的かつ緻密な計画と、それを踏まえた迅速な行動が不可欠なのです。

第二に、「卯」の字義にあるように、未開墾地を思い切って開拓していかなければならないということですが、経営戦略論に換言すればブルーオーシャン戦略を目指すということです。我々ＳＢＩグループはデジタルスペースでのブランディングを強化する為の広報活動を、今年からスタートすべく準備してきました。我々が常に標榜してきた「金融を核に金融を超える」を実現するべく、様々な分野に細心の注意を払いつつ挑戦しましょう。

最後に、原理・原則を踏まえつつ、筋を通すということです。先ずやるべきは、ＳＢＩグループの創業時に制定した五つのコーポレートミッション（経営理念）に立ち返り、それらと自分の取り組んでいるプロジェクトとの一貫性や整合性について吟味することです。

以上、２０２３年をこれからの十年の飛躍の年に向けた第一歩にしましょう。

SBI大学院大学のご紹介

学校法人SBI大学が運営するビジネススクール「SBI大学院大学」は「新産業クリエーター」を標榜するSBIグループが全面支援をして、高い意欲と志を有する人々に広く門戸を開放し、互いに学び合い、鍛え合う場を提供しています。

私たちのビジネススクールの特徴とは

1. 経営に求められる人間学の探究

中国古典を現代に読み解き、物事の本質を見抜く力、時代を予見する先見性、大局的な思考を身に付け、次世代を担う起業家、リーダーに求められるぶれない判断軸をつくります。

2. テクノロジートレンドの研究と活用

グローバルに活躍する実務家教員による時流に沿った専門的な知見を公開します。講義の他、一般向けのセミナーや勉強会などを通して、研究成果や事業化に向けた活用など、新産業創出に貢献いたします。

3. 学びの集大成としての事業計画の策定

MBA 本科コースでは学びの集大成として、各自による事業計画書の作成、プレゼンテーションが修了演習の1つとして設置されています（事業計画演習）。少人数によるゼミ形式のため、きめ細やかなサポートはもちろん、実現性の高い事業計画書の策定が可能となります。その他、所属する組織の改革プラン作成（組織変革演習）やリサーチペーパーの作成（修論ゼミ）の演習を選択することも可能です。

オンライン学習システムで働きながらMBAを取得

当大学院大学では、マルチデバイスに対応したオンライン学習システムにて授業を提供しています。インターネット環境さえあれば、PCやモバイル端末から場所や時間に縛られず受講が可能です。

また、教員への質疑やオンラインディスカッション、集合型の対面授業などのインタラクティブな学習環境も用意されているため、より深い学びが得られます。働きながらビジネススキルを磨き、最短2年間から最長5年間（長期履修制度利用）の履修により自分のペースに合わせてMBAの取得が可能です。

大学名称・理事長	SBI大学院大学・北尾 吉孝 ／ 学長：藤原 洋
MBA 本科 コース	経営管理研究科・アントレプレナー専攻／入学定員：120名 （春期・秋期各60名）／修了後の学位：経営管理修士（専門職） 修了要件に沿い、34単位以上を修得することでMBA取得が可能
Pre-MBA コース	MBA 本科コースの必修科目を中心に4単位分を半年間で学べるコース （MBA本科コースへの単位移行と授業料の一部減免制度が適用可能）
MBA 単科 コース	MBA 本科コースの科目を1科目1単位から受講できるコース
MBA 独習ゼミ	自学自習でMBAのエッセンスを学べるコース
グローバル・ビジネス・プログラム	グローバルビジネスに携わる方、これから目指す方向けの新コース （履修証明プログラム）
開催イベント	個別相談、オープンキャンパス（体験授業）、説明会、修了生体験談等
URL	https://www.sbi-u.ac.jp/

2023.4.1 現在

〒106-6021 東京都港区六本木1丁目6番1号
泉ガーデンタワー21階
TEL：03-6229-1175/ FAX：03-6685-6100
E-mail：admin@sbi-u.ac.jp

著者紹介

北尾吉孝 KITAO Yoshitaka

1951年、兵庫県生まれ。74年、慶應義塾大学経済学部卒業。同年、野村證券入社。78年、英国ケンブリッジ大学経済学部卒業。89年、ワッサースタイン・ペレラ・インターナショナル社（ロンドン）常務取締役。91年、野村企業情報取締役。92年、野村證券事業法人三部長。95年、孫正義氏の招聘により常務取締役としてソフトバンクに入社。

現在、SBIホールディングス株式会社代表取締役会長兼社長。また、公益財団法人SBI子ども希望財団理事、学校法人SBI大学理事長、社会福祉法人慈徳院理事長なども務める。

主な著書に『地方創生への挑戦』（きんざい）、『挑戦と進化の経営』（幻冬舎）、『これから仮想通貨の大躍進が始まる！』（SBクリエイティブ）、『実践FinTech』『成功企業に学ぶ 実践フィンテック』（以上、日本経済新聞出版）、『人間学のすすめ』『強運をつくる干支の知恵［増補版］』『修身のすすめ』『ビジネスに活かす「論語」』『森信三に学ぶ人間力』『安岡正篤ノート』『君子を目指せ 小人になるな』『何のために働くのか』（以上、致知出版社）、『実践版 安岡正篤』（プレジデント社）、『出光佐三の日本人にかえれ』（あさ出版）、『仕事の迷いにはすべて「論語」が答えてくれる』『逆境を生き抜く名経営者、先哲の箴言』（以上、朝日新聞出版）、『日本経済に追い風が吹いている』（産経新聞出版）、『北尾吉孝の経営問答！』（廣済堂出版）、『中国古典からもらった「不思議な力」』（三笠書房）、『ALAが創る未来』『日本人の底力』『人物をつくる』『不変の経営・成長の経営』（以上、PHP研究所）など多数。

心田を耕す

2023年4月2日　初版第1刷発行

著者　北尾吉孝
発行者　村田博文
発行所　株式会社財界研究所
〒107-0052
東京都港区赤坂3-2-12赤坂ノアビル7階
電話：03-5561-6616
ファックス：03-5561-6619
URL：https://www.zaikai.jp/
印刷・製本　日経印刷株式会社
装幀　相馬敬徳（Rafters）

ISBN978-4-87932-154-1
定価はカバーに印刷してあります。